A Bruxa de Shadowthorn (Twos) Remake

T.W.O.S, Volume 1

Antonio Carlos Pinto

Published by Antonio Carlos Pinto, 2024.

A BRUXA DE SHADOWTHORN (TWOS) REMAKE

First edition. March 31, 2024.

Copyright © 2024 Antonio Carlos Pinto.

ISBN: 979-8215962138

Written by Antonio Carlos Pinto.

T.W.O.S

A BRUXA DE SHADOWTHORN

REMAKE

Por Antonio Carlos Pinto

Sumário

1. Dedicação
2. Epígrafe
3. Apresentação
4. Prefácio
5. Prólogo
6. As margens de NightGlen
7. A Chegada em NightGlen
8. Tenebrosos pesadelos
9. A escola de magia de NightGlen
10. Poderes revelados
11. Conhecendo os Shadowthorn
12. Verdades ocultas
13. O Baile Anual de NightGlen
14. O treinamento
15. Nova Vida em NightGlen
16. O retorno das Trevas
17. O Ataque do Xykar
18. As Profecias Antigas
19. Confronto de sangue
20. O treinamento intensivo
21. Retomando o casamento
22. Lar, doce lar
23. Missão Secreta
24. Encontro com inimigo

25. O Despertar do Mal
26. Uma Luz no Horizonte
27. Retorno à Grammaria
28. Revelações perigosas
29. A Promessa
30. Epílogo
31. Glossário de famílias de NightGlen
32. Posfácio
33. Copyright
34. Sobre o autor

Dedicação

Dedico este livro, "The Witch of Shadowthorn (T.W.O.S)" ou simplesmente "A Bruxa de Shadowthorn", a todos os corações aventureiros que têm seguido a jornada desde o primeiro volume da história original. Esta obra intitulada T.W.O.S é um remake de "The Witch of Shadowthorn 1" e marca o início da primeira temporada da série. É para vocês, leitores incansáveis, que esta nova versão foi escrita e dedicada com todo o meu amor e gratidão.

Aos leitores corajosos que estiveram comigo desde o início da série, acompanhando os personagens em suas lutas e triunfos, esta dedicação é especialmente para vocês. São os verdadeiros heróis desta saga, pois o apoio incansável e entusiasmo de vocês me impulsionaram a continuar recontando essa história.

Aos leitores que estão se juntando à jornada nesta primeira temporada, espero que encontrem um mundo mágico cheio de mistérios que os cativarão desde o primeiro momento. Que cada página de "The Witch of Shadowthorn 1" (T.W.O.S) os conduza a uma jornada emocionante e inesquecível, repleta de novos elementos e reviravoltas.

Dedico este livro a todos aqueles que foram perdidos nas sombras da família Shadowthorn, que enfrentaram perigos e desafios ao lado dos personagens, tanto na história original quanto neste remake. Que a magia e o encanto deste mundo fictício toquem seus corações e despertem suas imaginações, agora reinventados para uma nova temporada.

Gostaria também de expressar minha gratidão à equipe editorial e à distribuidora (D2D Print) que tornaram possível a criação desta nova versão. Seu trabalho árduo e dedicação são inestimáveis, e sou grato pela oportunidade de reimaginar e compartilhar esta história com o mundo.

Por fim, dedico este livro a todos os amantes de fantasia, sonhadores, buscadores de aventuras nas páginas dos livros. Que "The Witch of Shadowthorn 1" (T.W.O.S) seja um ponto de partida emocionante para esta temporada, um refúgio para suas almas e um portal para um universo renovado, cheio de magia e emoção.

Com sincera gratidão e carinho,
Antonio Carlos Pinto.

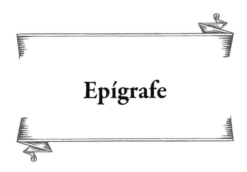

Epígrafe

"Entre os fios entrelaçados da magia e as sombras que dançam no crepúsculo, as famílias Shadowthorn e Gareth emergem como guardiãs de segredos ancestrais e herdeiras de destinos entrelaçados. No coração deste encantado universo, onde feitiços se entrelaçam com profecias, a saga de 'A Bruxa de Shadowthorn' desvela as tramas mágicas que moldam o destino e entrelaçam as linhagens de NightGlen e Grammaria. Em cada página, uma história se desenrola, onde a magia é tecida nos laços familiares, e a escuridão é desafiada pela luz que emana dos corações destemidos. Adentre este reino de encantamento, onde as palavras são feitiços e o passado se funde com o presente, na busca por respostas que ecoam através dos tempos."

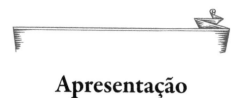

Apresentação

Caros leitores, meus estimados aprendizes de feiticeiros, preparem seus caldeirões mágicos, porque "The Witch of Shadowthorn" está pegando fogo!

Bem-vindos a mais uma temporada eletrizante de "The Witch of Shadowthorn", uma saga que promete prender vocês do começo ao fim! Em T.W.O.S, ou "The Witch of Shadowthorn", estamos de volta com uma versão ainda mais empolgante e sombria. Neste remake expansivo, segredos ocultos virão à luz e escolhas moldarão o destino de todos em NightGlen.

Com novas revelações, vocês ficarão se perguntando: quem são os verdadeiros heróis e quem são os vilões?

Nesta jornada, conheceremos mais profundamente a corajosa Elia, enquanto ela luta para desvendar as amarras do passado e salvar o amor de sua vida, Darius. Sua bravura ecoará a paixão de seus pais de uma forma que eles jamais imaginaram.

Nas profundezas de NightGlen, entre estruturas que abrigam séculos de mistério, Elia forjará novos laços e moldará um destino capaz de abalar todo o reino. Mas o que será revelado quando a trama ancestral dos Shadowthorn começar a se desenrolar?

Enquanto Elius escapa do controle que domina aquele lugar, um sussurro vindo do além o guiará na busca pela verdade. Ele conseguirá escapar dos caminhos predestinados pelas gerações passadas? E quais perigos aguardam Elia em sua jornada através da magia entrelaçada com o destino?

Imaginem-se imersos nesta saga apaixonante e cheia de reviravoltas! Deixem-se levar pelos momentos surpreendentes de "The Witch of Shadowthorn" e desvendem os segredos de um mundo impossível de resistir. Aqui, nem uma única linha permanecerá intocada e o futuro de todos será determinado em uma batalha onde apenas um lado poderá prevalecer!

Peguem suas vassouras e peparem-se para uma viagem envolvente da qual será impossível escapar até o fim. Nesta obra, todos os mistérios de NightGlen serão revelados e escolhas transformarão o destino em algo que nem mesmo os habitantes deste lugar poderiam imaginar.

Prefácio

Caros aventureiros e almas perdidas, permitam-me entregar-lhes um conto de amor, uma história repleta de magia e luta entre o bem e mal, tingida com a essência encontrada em minhas andanças pelos universos perdidos de The Witch of Shadowthorn...

Preparem-se para embarcar em uma aventura inesquecível em NightGlen, um lugar onde os limites entre realidade e fantasia se desvanecem, onde as batalhas internas e externa se fundem com as paixões mais arrebatadoras.

Tudo começou quando decidi abandonar minha morada comum, rompendo os confins da monotonia em busca de sabedoria e poder na renomada Escola de Magia de Nightglen. Foi lá que o destino traçou nossos caminhos e Darius emergiu diante de mim, um feiticeiro cujos encantos desafiam as próprias leis da natureza. Um homem de beleza magnética, seus olhos azuis brilhavam como pequenos universos vibrantes. Fui cativada por sua presença, em um entrelaçamento de encantamento e mistério.

No entanto, logo descobri que ele trazia consigo o peso de uma linhagem amaldiçoada, conhecida como Shadowthorn, marcada pelas sombras desde tempos imemoriais.

Amaldiçoados ou abençoados no amor? Esta é a história de um amor que me fez viver e morrer ao mesmo tempo. Um amor que me levou às alturas da felicidade e às profundezas do desespero. Um amor que desafiou as leis da magia e do destino, e juntos, enfrentamos as turbulências dessa herança maldita, um cataclismo de emoções e questionamentos em nossa existência.

Esse relato mescla momentos de glória e desesperança, um intricado jogo de luz e escuridão que se desenrola de forma imprevisível. Mas, quando todas as adversidades parecem fadadas ao fracasso, alcançamos, enfim, a essência do amor verdadeiro, fazendo cada obstáculo e sacrifício valerem a pena em sua irreverência transcendente.

No entanto, chegou o momento em que acreditamos deter o poder de quebrar a maldição, em uma tentativa desesperada de liberar Darius do jugo ancestral que o aprisionava. Porém, sem conceder-nos uma despedida adequada, ele partiu, despedaçando meu coração, levando consigo nossos sonhos e deixando-me somente um fruto como prova tangível desse amor proibido.

Agora, aqui me encontro, questionando nosso destino incerto, se há possibilidade de um reencontro, se nosso filho descobrirá a verdade obscura por trás de nossa separação e, acima de tudo, se as sombras que nos cercam finalmente nos permitirão alcançar a paz almejada.

Essas respostas, estimados leitores, serão reveladas à medida que embarcarem nesta exuberante e envolvente jornada que se inicia, abraçando a imprevisibilidade, a ambiguidade e a complexidade do mundo da magia de NightGlen...

Prólogo

Elia residia em uma pacata vila chamada Grammaria, cercada por colinas verdejantes e ensolaradas. Ao lado de sua mãe, Isadora, uma feiticeira da natureza, eles viviam uma vida serena. No entanto, por motivos desconhecidos, Isadora escolheu manter Elia afastada do reino mágico.

Assim, Elia cresceu, sem imaginar sobre suas origens mágicas, acreditando ser apenas uma garota comum. Sua mãe era ardilosa em guardar todos os segredos de NightGlen, bem como os poderes que compartilhavam, mantendo tudo oculto.

Contudo, assim que os poderes mágicos de Elia começaram a se manifestar e escapar de seu controle, Isadora decidiu revelar toda a verdade. O resultado foi surpreendente: Elia era a herdeira da magia da luz, com habilidades que precisavam ser dominadas para evitar sucumbir às artes sombrias.

Preocupada em não conseguir orientar sua filha e auxiliá-la adequadamente, Isadora tomou uma decisão difícil: enviar Elia para NightGlen, onde poderia viver com Gareth, seu distante pai.

Elia, acostumada à pacífica vida em Grammaria, encontrava-se indecisa sobre deixar tudo para trás e adentrar em uma nova realidade em NightGlen. Sentiria falta dos amigos, das festividades da vila e das caminhadas tranquilas pelo vale sob o sol radiante.

Contudo, a curiosidade de Elia em desvendar os mistérios de NightGlen e o anseio por conhecer seu pai e o mundo mágico falaram mais alto. Dessa forma, ela embarcou em uma jornada emocionante de

Grammaria até NightGlen, uma viagem que atravessaria três vilarejos antes de adentrar as misteriosas fronteiras de NightGlen.

Enfrentando a estrada desconhecida, Elia ajustou a gola do casaco, afastando-se de Grammaria e dizendo adeus à suave luz que iluminava as ruas da vila. O sol, que sempre brilhava radiante, desaparecia lentamente no horizonte, e um leve nervosismo começava a surgir enquanto ela seguia os trilhos da estrada rumo ao desconhecido.

Os primeiros raios da lua surgiram, lançando sua luminescência na estrada quando Elia passou pelo primeiro vilarejo, Willowbrook. As casas de madeira pareciam esconder histórias simples, mas Elia não conseguia deixar de questionar a decisão que tomara. As sombras brincavam entre as árvores, e uma voz interior sussurrava dúvidas como uma brisa fria que agitava sua confiança.

O segundo vilarejo, Whispering Pines, emergiu com suas luzes cintilantes, semelhantes a estrelas distantes. Elia capturou o reflexo da lua nas janelas, perdendo-se em pensamentos profundos. A falta de segurança de Grammaria envolveu-a, mas era a curiosidade que empurrava-a para frente. A cada passo, a vila distante tornava-se um feito inatingível, uma decisão irrevogável.

E então, o terceiro vilarejo, Misthaven, emergiu no horizonte. Um arrepio percorreu a espinha de Elia quando uma coruja pousou em uma árvore próxima, observando-a com olhos penetrantes, como se fosse um sinal. Dúvidas tumultuavam sua mente, enquanto o som dos galhos farfalhava na brisa noturna.

O conflito interno tornava-se mais intenso à medida que as margens de NightGlen aproximavam-se. A luz da lua iluminava o caminho, mas a escuridão que os aguardava era densa. Elia refletia sobre tudo que havia deixado para trás e sobre o desconhecido que a esperava à frente, entre a segurança de Grammaria e as incertezas de NightGlen.

A carruagem seguia, cada quilômetro levando Elia para um destino cada vez mais enigmático. Medo e curiosidade fundiam-se, formando um nó apertado em seu peito. Ela estava prestes a adentrar NightGlen, e o desconhecido aguardava-a com suas sombras e segredos.

As margens de NightGlen

Enquanto eu permanecia nas margens de NightGlen, a minha carruagem deslizava, afastando-se do fulgor celestial que aquecia o meu coração. Instantaneamente, a atmosfera mudava, sombras dançando ao meu redor como se tivessem vida própria, envolvidas em uma magia ancestral. À minha frente, revelava-se uma cena noturna de árvores antigas e caminhos sinuosos, a cada passo mergulhando cada vez mais na encantamento que permeava esse reino.

Os primeiros momentos em NightGlen assemelhavam-se a um mergulho em um oceano de mistérios. O medo persistia, mas a curiosidade me impelia a explorar o desconhecido. Criaturas noturnas, ocultas nas sombras, observavam-me com olhos cintilantes, guardiões silenciosos desse domínio mágico.

Meu distante pai, Gareth, aguardava-me nessa penumbra mágica. Meu coração palpita de expectativa enquanto a carruagem avança por bosques densos e clareiras enigmáticas. Cada árvore parecia carregar consigo uma história ancestral, e os sussurros do vento ecoavam segredos guardados há eras.

A luz da lua continuava a guiar-me, oferecendo uma visão etérea da paisagem noturna ao chegarmos às margens de NightGlen. A curiosidade transformava o meu medo em fascinação, ansiosa por desvendar os mistérios que envolviam a minha linhagem mágica.

Finalmente, a carruagem alcançou a borda de NightGlen!

A escuridão densa envolvia a floresta, meus pensamentos voando como folhas ao sabor do vento. Tentei acalmar minha mente, mas algo mais poderoso me envolvia, como se o destino sussurrasse aos meus ouvidos.

A incerteza dominava enquanto eu enfrentava a decisão de desembarcar da carruagem. A escuridão à minha frente sussurrava segredos insondáveis. E se eu me perdesse nas sombras? Ao tentar focalizar a distante luz de Grammaria, hesitei. Eu desci, meus olhos brilhando sob a tênue luz da lua. Encarando a entrada sombria de NightGlen, um frio desconfortável me envolveu. A brisa gélida roubou minha respiração, mas estranhamente, a angústia no meu peito permaneceu inexorável.

Ao fixar o olhar na entrada sombria de NightGlen, algo na Floresta Escura capturou minha atenção. Uma figura misteriosa movia-se entre as árvores, escapando da luz da lua, lançando sombras dançantes envoltas em mistério.

Fiquei paralisado diante dessa visão intrigante, hesitando, meu coração pulando com incerteza. Uma presença oculta na Floresta Escura parecia me chamar, uma força desconhecida despertando minha curiosidade e apreensão.

À medida que eu contemplava a figura misteriosa que se movia entre as sombras da Floresta Escura, sem saber sua verdadeira identidade, o coração acelerava em meu peito. Os passos furtivos ecoavam ao longe, como se a própria noite conspirasse para escondê-los.

Somente quando me afastei um pouco da entrada de NightGlen, um tipo de Elfo da floresta sombria, emergiu de sua ocultação. Seus olhos reluziam com um brilho enigmático e inescrutável, enquanto um sorriso sutil curvava seus lábios. A presença sombria, envolta em um ar de mistério, parecia ter encontrado o seu objetivo ao me avistar.

Eu, inconsciente de sua identidade futura, fui atraído pelo encanto sobrenatural que permeava suas ações. A curiosidade conduziu-me na direção daquela figura misteriosa, compelido pelo seu magnetismo inexplicável.

Enquanto caminhava na direção do Elfo, um feitiço se desenrolava no ar, unindo passado e futuro em uma dança de destinos entrelaçados. O vento soprava uma profecia sussurrada ao meu ouvido, prometendo segredos guardados nas páginas ocultas do tempo.

Sem perceber, eu adentrava em uma teia de eventos ainda por acontecer, onde, o Elfo do futuro, me perseguia. O encontro entre nós era um mistério que transcendia as fronteiras da compreensão humana, uma dança cósmica que desafiava os limites da razão.

O destino, traçado pelos arcanos do tempo, urdia um encontro fortuito entre nós dois antes mesmo de chegar a NightGlen. A harmonia cósmica exigia que nossos caminhos se entrecruzassem, revelando segredos que ainda não estavam prontos para serem desvendados.

À medida que nos aproximávamos, as sombras que envolviam o Elfo da floresta sombria pareciam se dissipar gradualmente, revelando a essência de sua verdadeira natureza. No entanto, o véu do tempo mantinha seu destino como um enigma, me impedindo de entender plenamente seu propósito na minha jornada.

Embora minha mente lutasse para decifrar os mistérios que rodeavam o Elfo, meu coração estava ao mesmo tempo assustado e fascinado pela aura de encanto que o envolvia. Era como se um pássaro noctívago fosse atraído pela luz da lua, mesmo sabendo que o seu caminho estaria incerto e repleto de perigos.

Assim, me preparava para o encontro iminente com o Elfo da floresta sombria, alheio ao fato de que o fio do tempo nos unia inexoravelmente. Não podia imaginar as provações que nos aguardavam, nem as revelações que deveríamos enfrentar, mas estava pronta para desbravar esse caminho mágico e desconhecido que traçava-se à minha frente.

Talvez, essa foi a razão pela qual parei nas margens de NightGlen.

Mas uma pergunta paira no ar como uma nuvem enigmática acima de mim. Meu destino parece entrelaçado com o mistério da floresta, pronto para se revelar nas páginas ocultas da minha jornada. O que me aguarda além desta entrada sombria?

Retornei à carruagem, refletindo sobre a possibilidade de retornar à segurança da casa de minha mãe ou seguir em direção à do meu pai, mesmo que a viagem se tornasse cada vez mais incerta. A decisão nesse limiar entre o familiar e o desconhecido, envolto em sombras, é um desafio. O futuro sussurra segredos, e eu, dividido entre hesitação e coragem, devo escolher meu caminho.

A Chegada em NightGlen

Enquanto eu adentrava cada vez mais as profundezas de NightGlen, uma sensação de inquietação e expectativa me envolvia. Este era um reino onde a magia prosperava, onde criaturas míticas percorriam as antigas florestas e onde as leis da realidade pareciam se curvar e torcer.

A carruagem sacudia ao longo das pedras gastas, o som ecoando pela noite nebulosa. A lua lançava um brilho sinistro, mal iluminando o caminho escuro à frente. A minha imaginação evocava imagens de seres místicos espreitando além do véu da escuridão, esperando revelar-se em uma dança de encantamento.

O ar tornou-se denso com uma energia sobrenatural, crepitando com poder oculto. As sombras dançavam, torcendo-se e entrelaçando-se como tentáculos etéreos, à medida que NightGlen me envolvia em seu abraço místico. Um coro de criaturas noturnas embalou minha chegada, seus chamados melódicos ecoando pela densa floresta.

NightGlen, com suas árvores antigas se estendendo em direção ao vasto espaço estrelado acima, me deu as boas-vindas com um sentimento de presságio e maravilha. A vegetação sussurrava segredos não contados, compartilhando histórias de antigas profecias e tesouros ocultos esperando serem descobertos.

Eu me lembro que ao tocar o solo nas margens de NightGlen pela primeira vez, sentia a pulsação de energia mística em harmonia com meus próprios poderes recém-despertos. A própria essência do reino parecia vibrar em sintonia com meus batimentos cardíacos, uma sinfonia de possibilidades e revelações.

Mas, entre a intriga de NightGlen, uma inquietude formigante ainda percorria as minhas veias. Agora, eu estava face a face com o enigmático mundo que guardava a chave para meu passado e meu futuro. Rostos desconhecidos começam passaram por mim, meus olhos cheios de curiosidade e cautela, como se pudessem sentir o potencial dentro de mim.

A jornada a havia me levado a este precipício crucial, onde os fios de meu destino se desenrolavam em uma tapeçaria de outros destinos. Abraçando minha recém-descoberta magia e aceitando o desconhecido, eu dei o próximo passo, meus passos guiados por um fogo interior que ardia com mais intensidade a cada momento que passava.

NightGlen sussurrou seus segredos para mim, prometendo provações e triunfos, mistérios e revelações que testariam minha determinação. Neste reino de sombras, onde as fronteiras da realidade se misturavam com os reinos da imaginação, eu embarcaria em uma jornada de autoconhecimento e enfrentaria os desafios que me esperavam.

Entre os lampejos cintilantes da luz das estrelas e as sombras que dançavam nas alamedas da lua, eu respirei fundo. A cada batida do coração, eu abracei o encanto fascinante de NightGlen, pronta para desvendar seus segredos e desbloquear seu verdadeiro potencial.

No dia seguinte, no abraço da estrada sinuosa de NightGlen, o raro convidado que era o sol era apenas uma memória distante. No Horizonte de breu, nuvens carregadas se formavam, dando sinal que uma grande tempestade chuvosa cairia em breve...

Meu coração batia de ansiedade enquanto me aventurava pela paisagem sombria e chuvosa, onde segredos se escondiam em meio à escuridão com raios e trovões que rasgavam o céu daquele lugar misterioso.

Dentro da carruagem enevoada pelas gotas de chuva que caía sobre as janelas embaçadas que refletiam o cenário cinzento que envolvia tudo pelo caminho. Reclinei-me no assento, observando a paisagem enquanto NightGlen passava lentamente por mim até chegar ao meu destino.

Casas de pedra com telhados inclinados, algumas com marcas do tempo, pareciam à beira do colapso. As lojas com suas vitrines embaçadas pareciam congeladas no tempo, cada detalhe ressoando com décadas passadas. A névoa baixa pairava sob um céu sem sol, prometendo mais um dia sombrio de chuva. Nada se parecia com a Grammaria ensolarada e animada que eu havia deixado para trás.

Um suspiro melancólico escapou dos meus lábios, desejando o calor do sol que acariciava meu rosto e brincava com meus cabelos dourados, um contraste vívido em meio ao mar de cinza que me cercava. Ansiava pelas risadas dos amigos ecoando pelas ruas de Grammaria, onde reinava a familiaridade e a alegria florescia. Aqui, apenas o silêncio e o trovão distante prevaleceram.

Tudo parecia estranho e sombrio, aumentando a inquietação dentro do meu peito. Meus olhos buscaram desesperadamente um brilho de luz e vida em meio às fachadas monótonas, mas encontraram apenas sombras. Era como se o sol fosse proibido neste lugar.

A aldeia que outrora chamei de lar agora parecia pertencer a outra vida, como um sonho reconfortante do qual fui abruptamente despertada. Eu ainda não tinha entendido os motivos, mas aqui estava eu, aventurando-me incerto em direção a um destino igualmente misterioso.

À medida que a viagem se aproximava do fim, a carruagem tremia diante dos portões da sinistra NightGlen, cercada por feições agourentas que se tornariam meu novo encarceramento. Desviei o olhar da paisagem externa e me preparei para desembarcar.

Embarcando na jornada pelas ruas estreitas e sinuosas de NightGlen, a chuva cai incessantemente, pintando o cenário com gotas prateadas que dançam no ar. O aroma da terra molhada preenche meus sentidos, enquanto a magia do reino imerge em meio às gotas que caem do céu.

As luzes acesas ao longo das ruas lançam uma luz acolhedora dissipando a escuridão, refletindo nas poças d'água, criando espelhos mágicos que revelam vislumbres fugazes de criaturas encantadas. Entre as árvores frondosas, seres místicos aguardam o momento certo para se revelarem, brincando em meio à tempestade com risos cristalinos.

O som constante da chuva proporciona uma trilha sonora de melodias encantadoras, onde a harmonia das gotas batendo nos telhados cria uma sinfonia única. Os relâmpagos cortam o céu, iluminando as torres imponentes antigas que pontuam a paisagem, enquanto o eco retumbante dos trovões encanta e assusta, criando uma aura de mistério e poder.

Os habitantes de NightGlen, apesar da tempestade, se reúnem nas tavernas pitorescas, aquecidos pelo calor das lareiras crepitantes. Suas vozes se unem em risos e histórias, compartilhando contos de feitos heróicos e amores arrebatadores, encantando meu coração com cada palavra entrelaçada.

Enquanto percorro as ruas encharcadas, sinto a magia em cada gota que desce pelo meu rosto. As calçadas são forradas com cristais reluzentes que se formam da água da chuva, uma manifestação da própria essência de NightGlen. Cada passo que dou parece ser uma dança em sincronia com a natureza, como se o reino me acolhesse com abraços úmidos e a promessa de grandes maravilhas a serem reveladas.

A tempestade toma um tom mais intenso, trovões e relâmpagos criam um espetáculo de luz e som que encanta e assombra, ampliando a aura mística de NightGlen. As árvores parecem se inclinar para o céu, alcançando os poderes celestiais que lançam seu esplendor na paisagem deslumbrante.

Escuto, ao longe, uma música hipnótica das fadas cantoras. Seus delicados tons ecoam pelos campos encharcados, envolvendo-me com sua melodia encantadora. Cada nota ressoa profundamente em minha alma, evocando um senso de admiração e êxtase que não consigo conter.

Abro os braços, deixando a chuva sagrada me banhar, absorvendo a energia que flui por todo o reino. Sinto-me conectada a NightGlen de uma maneira única, unindo minha essência ao tecido mágico que permeia a terra. Essa tempestade, tão poderosa e imponente, é nada menos que um presente dos céus para este reino encantado.

E assim, enquanto meus passos continuam a me levar adiante, com a chuva alimentando a terra e a magia envolvendo cada fibra da minha existência, percebo que esta tempestade em NightGlen é mais do que apenas uma chuva comum. É um símbolo da própria força e beleza deste reino de maravilhas, onde a natureza e a magia se fundem em uma dança eterna e mágica.

Mergulhado na atmosfera mágica de NightGlen, percorro a última etapa da minha jornada até chegar ao topo da colina majestosa que abriga duas mansões imponentes. A casa de meu pai, Gareth, repousa do lado esquerdo, enquanto a mansão da família Shadowthorn se destaca no alto da colina, emanando uma aura de mistério e poder.

Enquanto a chuva continua a cair, encontro meu pai esperando por mim na entrada de seu lar. Seus olhos brilham com um misto de alegria e preocupação, questionando por que decidi descer da carruagem antes de chegar em casa.

Com um sorriso acolhedor nos lábios, explico a ele o fascínio irresistível que NightGlen exerceu sobre mim, a chuva mágica e a necessidade de sentir a pulsação do reino em cada gota de chuva. Explico que precisava absorver a energia do ambiente, me conectar à magia que permeia cada centímetro deste lugar encantado.

Meu pai, Joe Gareth, estava parado, nos degraus de pedra ecoando sua ansiedade palpável na entrada.

Sorri, apesar do aperto na garganta e da umidade suspeita nos olhos. Eu não queria sobrecarregar ainda mais meu pai, pois ele também parecia cansado depois de tantos anos separados. Vi as rugas de preocupação gravadas em seu rosto e os fios prateados entrelaçados em seu cabelo escuro. Gareth tentou sorrir ao me ver, mas seu olhar preocupado não pôde ser mascarado.

A carruagem com meus pertences já tinha chegado antes de mim na casa de Gareth. Mas ainda precisava descarregar meus pertences, um único baú contendo meus poucos pertences, não pude deixar de notar um jovem enigmático espiando pela janela da mansão vizinha. Suas feições angulares e olhos profundos me observaram discretamente. Seus olhos azuis brilharam ao encontrar os meus por um breve momento. No entanto, ao perceber meu olhar, ele recuou para as sombras, desaparecendo como um fantasma fugaz.

"Quem mora lá, pai? Poderia ser alguém que conhecemos?" Perguntei curiosamente, apontando para a janela vazia com um leve aceno de cabeça.

Gareth franziu a testa, um semblante carregado de consternação que eu não via há muitas luas. Uma veia pulsava em sua têmpora, um claro sinal de descontentamento.

"Eles são a família Shadowthorn. Familiarizados com as artes proibidas, infelizmente... Seria melhor manter distância deles, minha filha. Eles não são a melhor companhia para uma jovem nesta vila."

Magia proibida? Bruxaria sinistra, talvez? Aquele jovem praticava artes das trevas, como meu pai insinuou? Uma miríade de perguntas inundou minha mente, mas Gareth já se dirigia para a porta, indicando que esse assunto obscuro não seria discutido na rua fria e úmida. Pelo menos não agora...

Mais tarde, no modesto quarto que viria a ser meu, ponderei sobre os verdadeiros motivos que levaram minha mãe, Isadora, a insistir para que eu abandonasse minha pacata vida em Grammaria para ingressar nesta enigmática e sombria vila de NightGlen!

No entanto, o cansaço da árdua jornada de Grammaria até este lugar me envolveu e, antes que eu percebesse, meus olhos pesados se renderam ao sono...

Tenebrosos pesadelos

Abri os olhos e fiquei cativado pelos segredos que se revelavam a cada passo, atraindo-me mais profundamente para o coração desta vila mística. Enquanto eu vagava pelas ruas de paralelepípedos, sussurros de lendas antigas e magias proibidas acariciavam meus ouvidos, deixando-me com sedenta por mais mistérios de NightGlen.

Na praça central, avistei o jovem de olhos azuis penetrantes, conversando silenciosamente com uma figura encapuzada, trajando roupas azuis e óculos escuros. Intrigado, aproximei-me, na esperança de captar um fragmento da discussão.

Palavras como "profecia", "destino" e "poder adormecido" ou algo como "o Elfo da floresta sombria está chegando..." ecoaram em meio às sombras, despertando um anseio inquieto dentro de mim. O que estava acontecendo em NightGlen? Que segredos estavam escondidos no abraço da aldeia?

Sob a noite enluarada, aventurei-me no jardim da mansão sombria da família Shadowthorn, determinada a descobrir a verdade. E lá apareceu ele, o jovem misterioso, revelando que NightGlen guardava segredos antigos, e minha chegada não foi mera coincidência. Uma profecia entrelaçada com o meu destino, em construção há séculos, agora estava em jogo.

Emoções e dúvidas giravam dentro de mim enquanto eu ponderava se eu tinha a chave para desvendar os mistérios de NightGlen. Uma força ancestral pulsou em minhas veias, uma conexão com algo maior do que eu poderia imaginar.

O enigma de NightGlen começou a desenrolar-se diante de mim, revelando caminhos insondáveis? O que estava por vir para mim e NightGlen? A jornada estava apenas começando e eu estava determinado a descobrir todos os segredos que as sombras desse lugar escondiam.

Naquela noite, mergulhei mais fundo no ambiente misterioso de NightGlen. Seus habitantes compartilharam histórias de clãs antigos como os da família Shadowthorn, Darkthorn e os Gareth, pactos obscuros e passados esquecidos. À medida que explorava, a aldeia revelava as suas facetas ocultas, as suas vielas estreitas que escondiam segredos antigos.

O enigmático jovem com seus cativantes olhos azuis, preso a tradições perdidas e a uma antiga profecia, despertou minha curiosidade. Um vínculo peculiar se formou entre mim e NightGlen, como se a própria aldeia sentisse as mudanças nas marés que minha presença trazia. Elementos mágicos da profecia dançaram ao meu redor, criando uma aura etérea carregada de energia.

No entanto, a sombra da família Shadowthorn pairava sobre minha jornada. Eles, guardiões de segredos obscuros, detinham a verdade por trás da maldição que atormentava NightGlen. Uma força ancestral adormecida aguardava a libertação, e eu seria a chave para libertá-la?

À medida que a noite avançava, testemunhei rituais antigos e revelações perturbadoras. Meu pai, Gareth, esteve envolvido nesses acontecimentos de maneiras que ele mesmo não compreendeu totalmente. A escuridão se aprofundou, revelando intrigas familiares e conflitos há muito esquecidos.

Para desvendar os mistérios, aventurei-me nas profundezas ocultas da floresta sombria que abraçava NightGlen. Sob o pálido luar, descobri um altar esquecido adornado com símbolos antigos e um nome chamado Darkthorn. O destino da aldeia estava ligado a esta antiga cerimónia?

Percebi que a profecia não era apenas um fio solto na tapeçaria do destino; era uma teia intrincada que envolvia cada habitante de NightGlen. O despertar da força adormecida se aproximava e eu, involuntariamente, me vi no centro desta história sombria.

Se eu confrontasse meu pai sobre seu papel nessa intricada teia, revelaria verdades dolorosas que Isadora há muito evitava compartilhar comigo? Uma escolha difícil surgiu diante de mim: aceitar meu destino e liberar a magia antiga, ou resistir, condenando NightGlen a um destino ainda mais sombrio.

Não havia como voltar atrás, pois a carruagem que me transportou para NightGlen parecia agora um eco distante do passado. O sol, uma vez no meu rosto em Grammaria, estava ausente, substituído pela chegada iminente de uma escuridão profunda e desconhecida em NightGlen.

Minha jornada estava longe de terminar, e as sombras de NightGlen revelariam segredos desafiadores, não apenas do sobrenatural, mas também das escolhas que moldariam o destino da vila e meu próprio caminho.

Com um sobressalto, acordei do meu sonho! Parecia que eu estava perdida nos mistérios de NightGlen e do jovem enigmático com seus hipnotizantes olhos azuis. Mas vejo que tudo não passou de um sonho. Ou talvez, um tenebroso pesadelo!

A escola de magia de NightGlen

No dia seguinte... Após uma noite mal dormida pontuada por pesadelos tenebrosos onde uma voz sombria sussurrava palavras ininteligíveis em meu ouvido, eu desci as escadas ainda pensando no breve vislumbre que tivera do rapaz de olhos profundos no dia anterior e nos meus sonhos. Havia algo nele que me intrigava profundamente, embora eu não soubesse explicar exatamente o quê?

Talvez fossem só histórias infundadas para assustar forasteiros, mas será que ele realmente estava envolvido com magia das trevas, como Gareth insinuara? E aqueles olhos azuis penetrantes tinham um brilho quase hipnótico, de uma profundidade inquietante! Porém, por alguns segundos, os vi faiscar com o que parecia curiosidade e interesse quando me viu chegando...

Meu pai já tomava café da manhã na modesta cozinha quando eu entrei, vestindo ainda meu roupão surrado por cima da camisola. Gareth desviou os olhos do jornal para me cumprimentar com um aceno de cabeça quando me viu me servir de uma xícara de chá preto fumegante. O aroma de bergamota me acalmou um pouco os nervos.

— Pai, quem exatamente são os Shadowthorn? Já moram em Nightglen há muito tempo? - perguntei após um gole, tentando soar casual.

Gareth quase engasgou com o pedaço de pão que mastigava, tossindo algumas vezes antes de responder à minha pergunta com o cenho franzido. Pude ver que o assunto o incomodava bastante.

— Pelos deuses, Elia! Quem lhe contou sobre eles? É um assunto que não diz respeito a nós...

— Ninguém me contou nada... eu só escutei alguns rumores por aí e fiquei curiosa, só isso. - menti, querendo preservar meu pai. E ele não acreditaria se eu falasse que ouvi essas coisas sobre a família Shadowthorn, num sonho ontem a noite!

Gareth suspirou cansado, ponderando por um momento se devia realmente compartilhar a escura história daquela família com sua filha. Por fim, decidiu contar uma versão resumida e menos mórbida dos fatos.

— Bom, eles são uma linhagem muito antiga que habita essas terras há muitas gerações. Muito antes mesmo de você nascer e de nos mudarmos para cá, eles já moravam naquela sombria mansão no alto da colina. Sempre foram meio reclusos e reservados, raramente descendo para a vila ou se misturando conosco. Então começaram a circular boatos...

— Que tipo de boatos? - apressou-se minha curiosidade.

— Bom... alguns dizem que eles estariam envolvidos com magia sombria, rituais proibidos e outras baboseiras do tipo para assustar recém-chegados a NightGlen. Provavelmente são só rumores infundados, gente com inveja da fortuna e influência deles. De qualquer forma, é melhor manter distância dessa família Shadowthorn. Pelo menos até conhecer melhor as pessoas daqui. E pare de dar ouvido a tudo que as pessoas falam sobre os Shadowthorn.

Magia sombria e rituais proibidos? Então os rumores sobre o rapaz misterioso do sobrado vizinho poderiam ter fundamento? Aquilo só aumentava ainda mais o meu interesse e a minha empolgação. Aparentemente, meus novos vizinhos escondiam segredos bem mais profundos e sombrios do que eu poderia imaginar inicialmente...

Após o café da manhã, Gareth me levou de carruagem até os imponentes portões de ferro que guardavam a entrada da Escola de Magia de Nightglen.

Era um impressionante edifício de paredes muito brancas, colunas e pilastras em mármore, além de inúmeras torres e torrinhas com suas pontiagudas cúpulas arroxeadas. Subindo os largos degraus de pedra até o saguão ricamente decorado no interior, eu senti uma estranha sensação de frio na barriga, como se centenas de borboletas agitassem suas asas ao mesmo tempo.

Em parte nervosismo e em parte empolgação pelo que me aguardava. Afinal, aquele seria meu primeiro dia como uma aprendiz de bruxa em treinamento oficial. Tudo era novidade e descoberta naquele momento. Mesmo depois de anos convivendo com magia em casa, graças aos ensinamentos de minha mãe Isadora, aquilo era diferente. Era como adentrar em um mundo totalmente novo e fascinante, com suas regras e segredos.

Lá dentro, eu fui gentilmente recebida pela diretora "Agnes Svarttorn", uma senhora já idosa mas ainda muito ágil, com seus cabelos grisalhos sempre presos em um coque apertado no topo da cabeça. Seu olhar era severo por trás dos óculos de aro dourado, mas sua voz soou surpreendentemente doce quando ela me deu as boas vindas, desejando que eu me adaptasse bem à escola.

Em seguida, Agnes me entregou meu kit de estudante contendo horários de aula, livros didáticos, um uniforme azul marinho de saia xadrez e blazer, além de outros materiais como pena, tinteiro, regras e um distintivo com meu nome e casa. Ela explicou calmamente sobre o funcionamento das casas, a divisão das disciplinas e os regulamentos internos. Confesso que minha cabeça girava tentando assimilar tanta informação nova, mas fiz o meu melhor para gravar cada detalhe.

Em cada disciplina do extenso currículo, eu fui instruída a me sentar ao lado de um aluno veterano, que ficaria encarregado de me mostrar o funcionamento prático da escola e me ajudar durante esse período inicial de adaptação.

E assim foi durante todo aquele primeiro dia compassado de aulas. Eu me via constantemente cercada por rostos novos e estranhos, tentando absorver o máximo que podia sobre aquele universo totalmente desconhecido que era a complexa arte da magia. Poções, Transfiguração, Herbologia, tantos assuntos intrigantes!

Em cada matéria, um professor diferente e um colega diferente designado para me orientar. Todos eram solícitos e tentavam me fazer sentir à vontade, embora eu não conseguisse evitar certa timidez e embaraço por ser o centro das atenções. Meu tutor na aula de Herbologia, Edgar, um menino sardento e risonho, precisou me cutucar algumas vezes para que eu respondesse às perguntas do professor.

— Vamos lá, não tenha medo! O professor Strickland pode parecer mal-humorado, mas no fundo é gente boa. - cochichou Edgar com um sorriso encorajador.

Consegui finalmente relaxar um pouco e até esboçar algumas respostas, para satisfação do professor. Aos poucos eu estava conhecendo aquele novo universo, e ele não parecia mais tão assustador. Até certo momento...

Até que, para minha grande surpresa, ao adentrar a recém reformada mas ainda mal iluminada sala de Poções, lá embaixo nas masmorras, a pessoa escolhida para ser meu tutor e parceiro daquela disciplina era ninguém menos do que o tenebroso rapaz que eu avistara na janela no dia anterior.

Quando o professor Slughorn pediu que ele se apresentasse apropriadamente à novata recém-chegada à vila, o rapaz se levantou de sua carteira nos fundos da sala, alisando as vestes negras com um gesto quase ensaiado. Então, ele encarou diretamente em meus olhos com um olhar de uma azul tão profundo que mais parecia dois poços sem fundo. Senti um arrepio percorrer minha espinha.

— Prazer, senhorita Elia. Sou Darius Shadowthorn. Seja muito bem-vinda à Escola de Magia de Nightglen.

A voz dele soou um tanto rouca e grave, porém extremamente polida e eloquente. Eu senti minhas bochechas esquentarem contra minha vontade quando ele apertou minha mão em cumprimento. Por um breve momento, tive a impressão de que uma corrente elétrica percorreu meu corpo com aquele contato.

Darius Shadowthorn... o mesmo rapaz intrigante e misterioso do sobrado vizinho que povoara meus pensamentos desde minha chegada a esta vila. Aquele que meu pai alertara para evitar, por estar supostamente envolvido em artes das trevas. E agora, justo ele seria meu tutor particular naquelas aulas de Poções nas masmorras?

Eu mal conseguia acreditar que o destino conspirara para colocá-lo tão próximo assim, logo no meu primeiro dia. Seria mesmo apenas coincidência? Ou haveria algo mais por trás disso, alguma espécie de desígnio do universo querendo unir nossos caminhos? Confesso que a ideia me provocou arrepios, sem que eu soubesse distinguir se de medo ou... expectativa.

— O-obrigada... — gaguejei timidamente após alguns instantes apenas o encarando boquiaberta, tentando recobrar a voz e articular alguma resposta. — É uma honra tê-lo como tutor, senhor Shadowthorn.

Darius assentiu leve e educadamente com a cabeça, sem alterar sua expressão sempre séria e impenetrável. Porém, mesmo em meu embaraço, eu não pude deixar de notar um quase imperceptível lampejo atravessar aqueles olhos profundos quando ele me encarou por aquele breve momento.

Algo em seu olhar misterioso e magnético me deixava, ao mesmo tempo, desconcertada e irremediavelmente atraída. Era como se ele pudesse ver mais fundo dentro de mim, alcançando segredos que nem eu mesma conhecia. Tentei afastar esses pensamentos confusos quando Darius tornou a falar:

— Bem, vamos começar a aula antes que o professor Slughorn venha nos repreender pela conversa. Poções é uma arte muito delicada e precisa ser estudada com seriedade e total concentração. Espero que a senhorita esteja preparada para o desafio...

Darius falou isso com um tom de formalidade quase ameaçador. Por um momento, senti um novo arrepio percorrer minha espinha, meu coração batendo mais rápido. Será que ele conseguia perceber o efeito avassalador que sua presença causava em mim? Mas então eu detectei um lampejo quase imperceptível de humor em seu tom de voz.

Talvez aquele rapaz sombrio não fosse tão intimidador assim, no fim das contas. Ou será que era apenas uma fachada para esconder suas verdadeiras intenções? Com ele, eu provavelmente levaria um bom tempo até conseguir decifrar seus reais pensamentos e propósitos.

Por ora, decidi apenas assentir vigorosamente com a cabeça e me preparar para aprender o máximo que pudesse com esse novo e atraente tutor particular. Segredos ou não, Darius Shadowthorn despertava minha curiosidade de uma forma quase intoxicante. E estar tão perto dele pelas próximas aulas me enchia de uma ansiedade delirante.

Darius começou a explicar calmamente sobre os ingredientes já dispostos na bancada à nossa frente, as propriedades mágicas de cada um e seus usos na confecção de poções curativas e outras mais avançadas.

Eu tentava prestar a máxima atenção em suas instruções, absorvendo cada detalhe, mas não podia evitar que meu olhar escorregasse vez ou outra na direção dele, notando coisas como o contraste do preto de suas vestes com seu tom de pele muito pálido, o modo quase hipnótico como ele manejava o pequeno punhal de prata ao cortar meticulosamente as raízes, o movimento surreal de seus lábios enquanto explicava as receitas...

Era mesmo muito difícil me manter concentrada na poção em si tendo uma visão como aquela logo ao meu lado. Por mais que eu tentasse, meus olhos e minha mente pareciam ter vontade própria. Era como se ele exercesse algum tipo de magnetismo sobre mim, atraindo meu interesse para cada gesto e palavra.

Confesso que eu já o achara bastante atraente à primeira vista, mesmo sem saber ainda seu nome. E agora, vendo-o de perto e ouvindo sua voz aveludada, esse interesse todo apenas crescia, tomando proporções preocupantes. Eu precisava controlar minha imaginação fértil, ou acabaria enfrentando sérios problemas antes mesmo de completar meu primeiro dia naquela escola.

Conforme Darius explicava calmamente os próximos passos para prepararmos uma simples poção curativa, eu continuava distraída, apenas assentindo vagamente com a cabeça enquanto minha mente viajava longe dali. Até que, em um momento de desatenção culposa, eu derrubei distraidamente um frasco inteiro de pó de chifre de unicórnio na mistura borbulhante dentro do caldeirão.

Darius arregalou seus olhos, fazendo-os parecerem ainda maiores e mais hipnóticos, e rapidamente afastou o caldeirão com um gesto ágil de varinha antes que o desastre ganhasse proporções ainda piores.

— Preste mais atenção, senhorita Elia! Você precisa seguir as instruções com cuidado e concentração total! Do contrário, pode ser muito perigoso lidar com ingredientes e poções instáveis! Já vi alunos decididamente mais talentosos terem seus cabelos queimados e rostos desfigurados por muito menos do que isso...

A voz de Darius soou seca e cortante como um chicote, tão diferente do tom paciente e educado que usara antes. Ele realmente parecia aborrecido com meu deslize desatento, e talvez até um pouco decepcionado também. Senti meu rosto esquentar violentamente, dessa vez de pura vergonha. Como pudera dar vexame logo no primeiro dia de aula, ainda por cima na frente dele?

— Desculpa! — exclamei totalmente envergonhada. — É que... é tudo tão novo pra mim. Prometo prestar mais atenção!

Darius respirou fundo algumas vezes, tentando recobrar a calma. Aparentemente, apesar do tom ríspido, ele não parecia genuinamente zangado, apenas preocupado com meu descuido em um ambiente potencialmente perigoso como uma aula de Poções.

— Está bem, vamos recomeçar do zero. Mas preste mais atenção, está bem? É importante seguir corretamente o processo se quiser evitar acidentes. — disse ele em um tom mais suave.

Balancei a cabeça afirmando veementemente, o rosto ainda queimando de vergonha. Ele tinha toda razão, eu precisava me concentrar ou nunca me tornaria uma bruxa de verdade. E errar logo na primeira aula na frente dele era inadmissível.

Ainda me sentindo terrivelmente envergonhada com o ocorrido, foquei em cada palavra de Darius para recomeçarmos a preparar a poção desde o início, seguindo suas instruções à risca. Seria uma longa jornada até eu provar que era digna de estar naquela Escola de Magia, mas não desistiria tão fácil.

Especialmente agora que eu conhecera Darius Shadowthorn. Por mais intimidador que ele pudesse parecer à primeira vista, havia também uma aura de mistério em torno dele que me atraía desde o primeiro momento. Eu precisava descobrir mais sobre aquele rapaz de olhos azuis hipnóticos e seu envolvimento com artes das trevas. Além disso, teria muitas outras oportunidades de interagir com ele nas próximas aulas de Poções. Se eu fosse cuidadosa e mostrasse dedicação, talvez ele se abrisse mais e me contasse algo sobre si mesmo. Eu estava determinada a conquistar sua confiança, mesmo que isso levasse tempo...

O restante do dia na Escola de Magia passou voando depois daquela tumultuada primeira aula de Poções. Em cada nova matéria que tive, eu tentava absorver o máximo que podia sobre aquele estranho novo mundo que era a magia. A complexidade dos feitiços, o preparo meticuloso das poções, os usos das mais diversas plantas e fungos... Tudo parecia tão novo e desafiador!

Meus tutores orientavam com paciência em cada aula, tirando dúvidas e me guiando passo a passo pela teoria e prática necessárias. O jovem mago Edgar, filho da diretora Agnes, continuou me apoiando nas outras disciplinas, o que ajudou bastante a diminuir minha timidez inicial. No fim do dia, eu já me sentia um pouco mais confiante em meu lugar como novata naquela escola de magia.

Mas por mais que eu tentasse me manter concentrada nas lições, meus pensamentos acabavam se desviando com frequência de volta para Darius Shadowthorn. Seu jeito sombrio e misterioso despertava minha curiosidade de uma forma quase febril. Eu precisava desvendar seus segredos, mesmo sem saber ao certo a razão.

De volta para casa após aquela exaustiva primeira jornada na Escola de Magia, durante o silencioso jantar com meu pai Gareth, contei animada sobre todas as novas descobertas, amigos e desafios. Porém, omiti qualquer menção ao nome Shadowthorn, para evitar preocupá-lo sem necessidade. Ainda era cedo para qualquer julgamento sobre eles.

Gareth parecia distraído, respondendo por monossílabos, claramente com a mente distantes dali. Depois de muita insistência, ele enfim confessou o que o incomodava:

— O Conselho anda preocupado! Alguns moradores têm relatado eventos estranhos nas redondezas do vilarejo durante a noite. Parece que algum tipo de magia está envolvido.

Magia noturna misteriosa? Mais um possível indício de que meus novos vizinhos escondiam segredos muito além do que eu imaginava? As engrenagens começavam a se movimentar em minha mente curiosa. Eu precisava descobrir mais.

Mas por hora, já bastava de descobertas e emoções por um dia. Estava exausta depois de tantas novas experiências, pessoas e desafios enfrentados na escola. Tudo que eu mais queria era uma boa noite de sono antes de mergulhar nessa nova realidade complexa que era o universo mágico de Nightglen.

Infelizmente, o sono não veio tão fácil e tranquilo quanto eu esperava. A conversa sobre eventos misteriosos durante a noite com meu pai Gareth não saía da minha cabeça. E também continuava pensando no intrigante Darius Shadowthorn, é claro.

Até que, vindo da janela entreaberta, ouvi um som suave rompendo o silêncio da noite.

Como um farfalhar, um revoar quase imperceptível. Seria apenas o vento balançando as cortinas? Impelida por uma curiosidade aguçada, levantei-me silenciosamente da cama e ao me aproximar da janela, uma brisa fresca acariciou meu rosto e um cheiro suave de folhas molhadas permeou o ar. Sob a luz pálida da lua, meus olhos encontraram um espetáculo surpreendente: uma coruja branca, com plumas luminosas como a neve, pousada no parapeito. Seus olhos âmbar fitavam os meus com uma intensidade quase humana. A criatura majestosa parecia transmitir uma mensagem misteriosa, algo além do que as palavras poderiam expressar. Permaneci ali, hipnotizada, por um instante que pareceu eterno.

Foi então que a coruja ergueu suas asas e voou para o horizonte noturno, desaparecendo na escuridão. Uma sensação de profundo significado permeou meu ser, como se aquele encontro tivesse sido mais do que um simples acaso.

Ao voltar para a cama, deitei-me com a mente repleta de perguntas e mistérios: O que aquela coruja representava? Seria um sinal, um mensageiro dos segredos que Nightglen guardava? E o que dizer do jovem Darius, envolto em sua aura de mistério?

Nos dias que se seguiram, mergulhei mais fundo nos estudos mágicos, dedicando-me com afinco a cada disciplina. Sob a orientação de Darius, a aula de Poções se tornou um desafio estimulante. Apesar de seu temperamento exigente, gradualmente comecei a perceber seu profundo conhecimento e habilidade na arte das poções.

Nossas interações, inicialmente marcadas pela tensão, foram se transformando em momentos de aprendizado e cumplicidade. Darius mostrou-se não apenas um tutor habilidoso, mas também alguém capaz de compreender as nuances sutis da magia. Suas palavras e gestos transmitiam uma conexão profunda com o mundo oculto.

Em paralelo aos estudos na escola, explorei os arredores de Nightglen, buscando desvendar os segredos que pairavam sobre a vila. Encontrei nos arquivos da biblioteca antiga fragmentos de textos ancestrais, alusões a profecias e rituais perdidos no tempo ligados a família Shadowthorn e suas origens.

Certa noite, ao vagar pelas ruas silenciosas, fui surpreendida por uma figura encapuzada que emergiu das sombras. Era Darius, o rapaz de olhos azuis. Seu olhar era intenso, carregado de significados ocultos.

— Você está mais próxima do que imagina, Elia. As peças do destino estão se alinhand. — foram suas palavras enigmáticas.

Perguntei-lhe sobre a coruja branca, e Darius sorriu, revelando um conhecimento que transcendia a compreensão comum. Ele explicou que as corujas, especialmente as brancas, eram mensageiras de um reino oculto, portadoras de visões e segredos.

A conversa com Darius apenas aumentou o mistério que envolvia Nightglen. Cada pista, cada encontro, parecia tecer uma trama complexa que eu mal começava a compreender. Havia uma energia pulsante na vila, um poder adormecido que aguardava ser despertado.

Ao me deparar com os olhos profundos de Darius nas aulas de Poções, a sensação de que nosso encontro não era apenas coincidência se fortalecia. Havia uma conexão entre nós, algo que ia além das palavras e dos gestos.

A cada dia, eu me aprofundava mais na busca pelos segredos de Nightglen, na tentativa de desvendar os mistérios que envolviam minha chegada e o papel que eu desempenhava naquela trama. E em meio a sombras e luzes, magia e mistério, eu sentia que o destino de Nightglen e o meu próprio estavam intricadamente entrelaçados. E eu estava disposta a desvendar cada enigma, a enfrentar cada desafio, em busca da verdade que aguardava nas profundezas daquela vila enigmática.

Poderes revelados

Uma semana depois, ouvir novamente o barulho no meu quarto, inicialmente não vi nada além das sombras dos galhos secos das árvores balançando com a brisa noturna. Mas então um movimento chamou minha atenção. Posada elegantemente sobre o parapeito da janela, uma bela coruja marrom me fitava com seus grandes olhos amarelados.

E amarrado em sua pata, um pequeno bilhete enrolado. Meu coração disparou. Seria alguma mensagem do Conselho sobre os eventos noturnos mencionados por meu pai? Ou algo ainda mais misterioso e secreto? Com dedos trêmulos, desamarrei o bilhete da patinha da coruja, que piou suavemente antes de alçar voo, e li seu curto conteúdo:

"Cara senhorita Elia, preciso muito falar-lhe, sob a luz das estrelas. Encontre-me amanhã à meia-noite no jardim da mansão Shadowthorn. Por favor, venha sozinha. Darius S."

Darius Shadowthorn estava me convocando para um encontro secreto em sua casa à meia-noite? Meu coração quase parou ao terminar de ler aquelas linhas misteriosas. O que poderia ser tão urgente e privado assim? E o que ele pretendia me revelar sob o véu noturno das estrelas?

Mil pensamentos conflitantes se agitavam em minha mente inquieta, enquanto eu relia e relia o bilhete, apenas para ter certeza de que não imaginara sua existência. Será que esse encontro tinha algo a ver com a misteriosa magia noturna que preocupava o Conselho e meu pai?

Deitei novamente, observando a coruja mensageira alçar voo majestoso pela noite, até sumir de vista em meio à escuridão. Mas o sono não veio, e eu permaneci acordada até os primeiros raios de sol adentrarem tímidos pelo vitral empoeirado do quarto, iluminando levemente as paredes.

Meu corpo clamava por descanso, mas minha mente fervilhava, repleta de questionamentos sobre o significado daquela misteriosa mensagem. O que Darius Shadowthorn poderia querer compartilhar com tamanho sigilo logo no nosso primeiro encontro fora da escola?

Eu mal o conhecia, na verdade, além das breves interações nas masmorras durante a aula de Poções. E já fora o suficiente para despertar meu interesse de forma quase obsessiva por desvendar seus segredos. Havia algo naqueles olhos azuis profundos como a noite que me compelia a querer desbravar suas profundezas, mesmo sem saber ainda onde isso poderia me levar.

E agora esse convite noturno para um encontro secreto em sua casa... Isso só aumentava mais o ar de mistério em torno da família Shadowthorn. Será que esse estranho conclave teria algo a ver com a misteriosa magia noturna que preocupava o Conselho e meu pai? Ou seria sobre algo ainda mais obscuro e perigoso? Ou ele apenas queria me cortejar?

Por mais apreensão que também sentisse, no fundo eu sabia que cederia à tentação. A curiosidade sempre fora mais forte do que o medo em mim. Precisava descobrir que segredos Darius e sua família guardavam, mesmo que isso significasse desobedecer as recomendações de Gareth de ficar longe dos Shadowthorn e adentrar escondida nos domínios daquelas bruxas e magos sombrios.

O restante do dia se arrastou em agonia enquanto eu aguardava ansiosamente pelo momento do estranho encontro. Tentei ocupar a mente assistindo algumas aulas com Lizeth, minha nova e querida amiga, estudando feitiços simples que já dominava e ajudando meu pai com afazeres domésticos.

Mas nada adiantava, meus pensamentos sempre de alguma forma acabavam retornando àquele misterioso bilhete entregue pela coruja à meia-noite. Até que enfim o sol se pôs no horizonte, dando lugar ao manto negro e estrelado da noite. Era a hora...

Quando o relógio da sala bateu as badaladas de meia-noite, desci sorrateiramente as escadas, tomando o máximo cuidado para não acordar meu pai adormecido. A casa estava silenciosa, iluminada apenas pelo bruxuleante lampião que levei comigo. Sentia meu coração querendo explodir em meu peito, mas continuei determinada.

A noite lá fora estava fria e sem lua.

Segui cautelosamente pelas sombras em direção à imponente mansão no alto da colina onde Darius morava com sua família. Mil pensamentos continuavam a fervilhar em minha mente conforme eu me aproximava do majestoso portão de ferro trabalhado com intricados desenhos de videiras e morcegos.

Mesmo na escuridão, podia perceber o caprichoso jardim repleto de rosáceas e outras plantas noturnas exalando perfumes mágicos. Um verdadeiro contraste com as fachadas sombrias e a atmosfera lúgubre que pairava sobre a propriedade. Seriam apenas aparências para despistar os aldeões medrosos? Ou um prenúncio real do que me aguardava adentrando aquelas paredes?

Hesitei por um momento com a mão estendida a centímetros do portão de ferro frio. Ainda estava a tempo de voltar para casa e esquecer esse encontro absurdo. Mas não... eu precisava saber o que Darius queria comigo. Respirando fundo para firmar a coragem, empurrei o pesado portão, que se abriu sem o menor ruído, como se estivesse bem encerado.

Lá dentro, o silêncio era quase opressivo, interrompido apenas pelo cantar distante de grilos e o farfalhar de asas de morcegos aqui e ali. Meus passos abafados pelo gramado pareciam ecoar na quietude do local. Foi quando senti uma mão quente tocar meu ombro, me fazendo pular de susto e quase gritar.

— Elia! Calma, sou eu! Não queria assustá-la desse jeito... - veio a voz tranquila de Darius às minhas costas.

Virei-me rapidamente, a mão no peito tentando acalmar os batimentos cardíacos descompassados. Mesmo na penumbra, seu rosto pálido se destacava, os olhos azuis cintilando levemente ao me fitar.

— Darius! Que susto... pensei ter visto uma assombração ou algo assim. O que é tão urgente que não podia esperar até amanhã?

Notei que ele usava uma capa escura com capuz, provavelmente para se camuflar na noite durante nosso encontro clandestino. Darius olhou ao redor com cautela antes de responder em um sussurro:

— Não é seguro falar aqui. Venha, conheço um lugar onde poderemos conversar sem interrupções.

Sem muitas opções, o segui quando Darius começou a caminhar sorrateiro para dentro dos jardins atrás da mansão. Ele parecia estar preocupado em não ser visto por alguém, embora a propriedade estivesse em completo silêncio.

Chegamos a um pequeno gazebo isolado, coberto por trepadeiras e árvores frondosas. Lá dentro, finalmente nos sentimos seguros para conversar reservadamente, longe de olhares e ouvidos curiosos.

Meu coração batia forte em expectativa pelo que estava por vir. Darius acendeu uma solitária vela sobre a mesa de pedra esculpida, projetando sombras trêmulas sobre seu rosto pálido. Por um momento ele apenas me encarou em silêncio, como se ponderando por onde começar.

— Imagino que tenha muitas perguntas, Elia. E estou disposto a responê-las, na medida do possível. Mas antes, preciso de sua ajuda. É uma questão de vida ou morte.

Engoli em seco, hesitante. Jamais imaginara que um pedido tão sério viria logo em nosso primeiro encontro clandestino.

— Minha ajuda? Mas no que eu poderia possivelmente ajudar? Mal cheguei a esta vila...

Darius suspirou, seu olhar assumindo uma expressão sombria.

— Sei que é muito a lhe pedir, confiando em alguém que acabou de conhecer. Mas acredite, não teria recorrido a isso se não estivéssemos desesperados.

— Desesperados? O que quer dizer?

Ele se aproximou, segurando minhas mãos entre as suas, maiores e enluvadas. Senti um arrepio percorrer meu corpo com aquele contato inesperado.

— É sobre os eventos estranhos que vêm acontecendo em Nightglen durante as noites... coisas sombrias e mortais rondam esta região. E você, Elia, é a única em quem posso confiar para nos ajudar a deter essa ameaça antes que seja tarde.

Engoli em seco, minha mente girando. Então minhas suspeitas estavam corretas! Tudo se conectava de alguma forma. Mas por que justo eu poderia ajudar?

— Não estou entendendo... o que exatamente está acontecendo? E o que poderia fazer para ajudar?

Darius apertou minhas mãos, seu olhar penetrante encontrando o meu na penumbra do gazebo. Senti meu rosto esquentar com a proximidade.

— Ainda não posso revelar tudo. Mas saiba que você é especial, Elia... muito mais do que imagina. Logo compreenderá o seu papel nessa trama. Por agora, apenas confie em mim.

Assenti lentamente, mesmo ainda atordoada com todas aquelas revelações. Havia tanto mistério por trás daquela família... mas algo em meu interior dizia para confiar em Darius.

— Está bem... eu confio em você. E farei o possível para ajudar no que for preciso.

O alívio tomou o rosto dele ao ouvir minha resposta. Então, ao longe, ouvimos o badalar grave de um sino.

— Preciso ir agora, antes que notem minha ausência. Em breve irei explicar tudo, eu prometo. Apenas tenha fé.

E antes que eu pudesse responder alguma coisa, Darius desapareceu pela noite afora, me deixando com ainda mais perguntas do que antes.

Suspirando, também deixei o gazebo, seguindo de volta para casa com a mente em turbilhão. O que quer que estivesse acontecendo em Nightglen, eu estava irreversivelmente no centro de tudo agora...

Conhecendo os Shadowthorn

Naquela mesma noite, demorei muito para conseguir pegar no sono. As palavras misteriosas de Darius não saíam da minha cabeça. Coisas sombrias rondando a vila, e eu seria a única capaz de ajudar... mas como? E por quê?

Tantas perguntas ainda sem resposta. Mas eu confiava em Darius, por mais enigmático que fosse. Havia uma urgência e sinceridade em seu olhar que me convenceram a acreditar nele.

Quando finalmente consegui dormir, sonhos estranhos povoaram minha mente. Imagens trevas, sussurros ininteligíveis, sombras se movendo e um nome de uma entidade cósmica era pronunciado como se fosse o fim dos tempos... Acordei sobressaltada ao amanhecer, sem entender se fora apenas um pesadelo ou uma visão de algo real do futuro ou passado.

Apesar da noite mal dormida, levantei determinada a tentar descobrir mais pistas por conta própria sobre essas visões e sobretudo, descobri as coisas estranhas que estavam ocorrendo em NightGlen.

Gareth nada mencionou sobre meu breve sumiço noturno, para meu alívio. Depois do café, segui para a escola, onde encontrei Lizeth já me aguardando animada na entrada.

— Elia! Como foi sua primeira noite aqui? Algo interessante pra contar?

Ponderei por um momento se devia contar sobre o encontro secreto com Darius, mas decidi manter isso em segredo por enquanto.

— Na verdade foi bem tranquila... nada comparado à agitação da escola! E você, fez alguma coisa de interessante?

Enquanto Lizeth tagarelava sobre seu jantar com a família, continuei pensando em maneiras de desvendar os mistérios que agora me cercavam naquela estranha vila para onde minha mãe me mandara... Havia tantos enigmas e perguntas sem resposta pairando sobre mim desde que chegara ali. As palavras enigmáticas de Darius na noite passada apenas aumentaram ainda mais minhas suspeitas de que segredos sombrios se escondiam por trás dos muros e das aparências cordiais de Nightglen.

Eu precisava descobrir mais, mesmo sem ter muitas pistas ainda de por onde começar a investigar. Talvez encontrasse algumas respostas nos livros da biblioteca da escola, ou observando pessoas e lugares importantes pelas ruas. Resolver esse mistério se tornara uma espécie de missão pessoal, uma necessidade que ia além do racional.

O dia na escola transcorreu como de costume, entre aulas, estudos e bate-papos com meus novos colegas durante os intervalos. Edgar continuava me apoiando como um irmão mais velho, sempre disposto a ajudar e responder minhas perguntas sobre qualquer assunto. Até que chegou a hora da aula de Poções, meu momento mais aguardado e temido dos dias. Temia por fazer papel de tola novamente na frente de Darius, mas também ansiava revê-lo, na esperança de descobrir mais coisas sobre ele e sua família.

Para minha surpresa, Darius não estava presente quando entrei na masmorra. Seu lugar habitual permanecia vazio, sem qualquer explicação. Lancei um olhar interrogativo para Lizeth, que deu de ombros, tão curiosa quanto eu.

O professor Slughorn não fez qualquer menção sobre a ausência dele durante a aula. Eu mal consegui prestar atenção na poção que preparávamos, imaginando os motivos para o sumiço repentino de Darius logo no dia seguinte ao nosso encontro secreto. Seria apenas coincidência?

Ao fim da aula, ainda intrigada, decidi passar rapidamente pela biblioteca antes de voltar para casa. Se havia respostas a serem encontradas em algum lugar, seria entre os milhares de livros nas intermináveis estantes de madeira. Comecei a vasculhar os corredores e seções sobre história e povoados antigos, procurando qualquer menção a Nightglen ou às famílias proeminentes da região, como os Shadowthorn. Até que, em determinada prateleira empoeirada, uma enciclopédia chamou minha atenção. Era um velho volume intitulado "Grandes Famílias da Região de Nightglen - História e Genealogias".

Com certeza aquele livro devia conter informações valiosas sobre os Shadowthorn e seus antepassados! Retirei-o da estante, já sentindo a pulsação acelerar. Senti uma pontada de culpa por desrespeitar as regras da escola de magia, ao abrir o livro ali mesmo, mas meu anseio por respostas falou mais alto. Folheei o sumário com os dedos trêmulos até encontrar o que procurava: "Shadowthorn - uma linhagem antiga entre a luz e as trevas". Minha respiração estava suspensa enquanto eu começava a ler ávida por qualquer pista. O capítulo começava com uma breve descrição da ancestralidade da família Shadowthorn na região, remontando a séculos passados. Eles já habitavam aquelas terras muito antes da fundação de Nightglen como vila bruxa. Passando os olhos pelos parágrafos, uma frase em particular me chamou atenção:

"...apesar de ao longo dos anos terem sido associados frequentemente com rumores de envolvimento em magias e rituais proibidos, os Shadowthorn também tiveram membros destacados que contribuíram para o desenvolvimento da comunidade mágica local. Darkthorn foi um dos primeiros Shadowthorn a conquistar seu lugar de honra."

Então havia mesmo alguma verdade por trás dos boatos que ouvira sobre eles! Mas ao que tudo indicava, nem todos os Shadowthorn seguiam caminhos sombrios, havendo exceções aqui e ali. Seria o caso de Darius?

Infelizmente, não pude aprofundar mais minha investigação naquele momento, pois logo ouvi passos e vozes se aproximando. Rapidamente marquei a página e fechei o livro, colocando-o de volta disfarçadamente na estante antes de me afastar a passos apressados. Por hora, teria que me contentar com essas poucas novas informações, prometendo a mim mesma voltar outro dia para pesquisar mais a fundo naquele valioso material. Ao menos agora eu tinha a certeza de que havia muito mais por trás daquela família do que aparentava. Precisava descobrir se Darius e os outros atuais membros dos Shadowthorn se encaixavam na categoria "luz" ou "trevas" dentro de seu tortuoso legado familiar. E se realmente eu tinha algum papel predestinado nessa longa e obscura história, como ele insinuara...

Infelizmente, nas semanas seguintes, tive poucas oportunidades de continuar minha investigação sobre os Shadowthorn. Além da rotina de estudos na escola, agora eu também precisava ajudar meu pai Gareth com tarefas domésticas, já que ele vinha trabalhando até mais tarde nos últimos dias.

Segundo Gareth, o Conselho da vila andava se reunindo com frequência para discutir planos de contenção e vigilância contra as tais "ameaças noturnas" que vinham preocupando a todos. Como representante de uma das famílias tradicionais locais, ele era convocado constantemente para essas reuniões que se estendiam madrugada adentro.

Sempre que possível, eu tentava fazer perguntas disfarçadas sobre o que exatamente andava acontecendo e o que o Conselho planejava fazer a respeito. Porém, Gareth desconversava, afirmando que era "assunto sigiloso" e que eu não deveria me envolver. Mas é claro que isso só fez aumentar mais meu interesse em investigar por conta própria. Havia algo sinistro se espalhando por Nightglen, e eu precisava descobrir o que era. Além de entender de uma vez por todas qual o papel dos Shadowthorn nisso tudo, e porque Darius insistia que justo eu poderia ajudar!

Infelizmente, Darius continuava ausente dos dias letivos na Escola de Magia, para minha grande frustração. Suas faltas constantes começavam a render comentários e boatos entre os alunos. Alguns sugeriam que ele estaria secretamente trabalhando com o Conselho para combater as tais ameaças noturnas que assolavam NightGlen.

Outros, porém, sussurravam rumores mais sombrios, dizendo que na verdade Darius estaria envolvido com os próprios causadores dos eventos sinistros, planejando sabe-se lá que atrocidade contra os moradores de Nightglen.

Eu tentava ignorar esses comentários maldosos, mas a dúvida começava a cutucar minha mente. E se Darius e sua família não fossem realmente dignos da confiança que depositara neles? E se houvesse mesmo alguma verdade por trás desses boatos? A única forma de descobrir era conseguindo me aproximar mais dos Shadowthorn, mas eles continuavam tão isolados e reservados quanto sempre. Precisaria de um plano muito bom para conseguir entrar no círculo íntimo deles. E estava disposta a fazer o que fosse preciso para desvendar esse mistério.

Aquela noite, deitei imaginando formas de me infiltrar entre os Shadowthorn. Até que, vindo da janela entreaberta, ouvi um som suave quebrando o silêncio... Era como um farfalhar, um revoar quase imperceptível. Então, um estalo se formou em minha mente: a solução perfeita!

Levantei-me rapidamente e fui espiar lá fora. Pousada elegantemente no parapeito da janela, uma bela coruja-das-torres me fitava com seus grandes olhos amarelados na penumbra. Claro, como não havia pensado nisso antes? As corujas mensageiras sempre foram usadas entre os bruxos para entregar recados de forma rápida e sigilosa. Essa em especial parecia já estar me esperando, quase como se captasse meu chamado mental pedindo por ajuda.

Peguei um pedaço de pergaminho e escrevi um simples bilhete, tentando escolher as palavras com cuidado:

"Cara senhora Adelaide Shadowthorn,

Gostaria muito de poder conversar com a senhora sobre assuntos mágicos e históricos. Suas perspectivas seriam de grande valia para melhorar meu aprendizado. Poderia me receber para o chá em sua residência um dia desses? Prometo não tomar muito de seu tempo.

Atenciosamente,

Elia Gareth."

Assim que terminei, amarrei o bilhete na pata da coruja.

— Leve isso à Adelaide Shadowthorn, por favor. E espere a resposta.

A ave piou em concordância e alçou voo pela noite. Agora, era só aguardar. Com sorte, essa pequena mentira seria o passaporte que eu precisava para adentrar o círculo dos Shadowthorn.

No dia seguinte, estava terminando meu café da manhã quando a mesma coruja da noite anterior entrou voando pela janela aberta, sobressaltando meu pai que lia o jornal.

— Uma coruja para você, minha filha? De quem será?

Disfarcei meu nervosismo, desamarrando casualmente o bilhete da pata da ave.

— Deve ser algum colega da escola... hoje em dia os jovens usam esses meios rápidos de comunicação também.

Me retirei rapidamente para o quarto a fim de ler a mensagem longe dos olhos curiosos de Gareth. Meu coração quase saiu pela boca quando li as elegantes linhas:

"Cara srta. Elia,

Fico lisonjeada com seu interesse em nosso legado histórico. Seria um prazer recebê-la para uma agradável tarde do chá e uma estimulante conversa em minha residência...

Atenciosamente,

Adelaide Shadowthorn."

Meu plano havia dado certo! Finalmente, uma chance de adentrar o círculo dos misteriosos Shadowthorn e descobrir suas verdadeiras intenções. A única questão agora era: eu realmente estava preparada para encarar os obscuros segredos que encontraria lá dentro?

Apesar dos receios, no dia marcado me arrumei com esmero para visitar a sombria mansão dos Shadowthorn. Passei mais tempo que o normal penteando meus longos cabelos dourados e escolhendo um vestido azul simples, porém elegante. Queria causar uma boa primeira impressão.

Quando saí, inventei para Gareth que iria estudar poções com Lizeth. Ele pareceu aceitar a desculpa, pois logo estava distraído com papéis do Conselho espalhados pela mesa. A reunião da noite anterior parecia tê-lo deixado exausto.

Segui a pé por ruas tortuosas e becos estreitos até avistar a imponente construção no alto da colina, com suas torres e ameias recortadas contra o céu nublado. Engoli em seco, tentando abafar o pressentimento ruim que se apossou de mim ao respirar aquela atmosfera sombria. Mas continuei caminhando determinada...

Os pesados portões de ferro se abriram magicamente a minha aproximação, como se já estivessem aguardando ansiosamente pela minha chegada. Um caminho de pedras gastas e rachadas conduzia até os degraus frontais, onde uma senhora idosa de vestes escuras e cabelos grisalhos presos num coque me esperava.

— Seja bem vinda, srta. Elia. Sou Adelaide Shadowthorn, a matriarca da família. Entre, por favor. O chá já está servido.

Sua voz era suave, quase melodiosa, em nítido contraste com suas feições severas. Segui Adelaide pelo sombrio saguão de pé direito alto até uma sala ricamente decorada. Uma elegante mesa com duas cadeiras já nos aguardava, repleta de quitutes apetitosos e uma fumegante chaleira de porcelana.

Sentamo-nos uma de fronte à outra. Adelaide serviu o chá chamado Clarividência em minhas xícaras, explicando tratar-se de uma variedade mágica cultivada apenas naquela região, capaz de ampliar a percepção de quem a bebia. Levei a xícara aos lábios com hesitação, sentindo o aroma forte e herbáceo.

— Não tenha receio, meu bem. É completamente inofensiva, eu garanto. Apenas a ajuda a enxergar além das aparências.

Assenti e dei um gole experimental. De fato, senti meus sentidos se aguçarem de imediato, como se um véu se descortinasse à minha frente, permitindo enxergar além das superficialidades. Cores e contornos ganharam mais nitidez e profundidade. Pisquei alguns vezes, surpresa, enquanto Adelaide me observava com olhar satisfeito.

— Exatamente o efeito que esperava que sentiria, minha jovem. Agora podemos conversar com nossas mentes verdadeiramente abertas.

Ela tomou um lento gole de sua xícara, estudando minha reação por sobre a borda de porcelana. Havia quase um brilho de expectativa em seu olhar, como se ansiasse por algo que eu ainda não podia compreender. Resolvi que era o momento de começar minha investigação:

— Senhora Shadowthorn, vim aqui justamente para aprender mais sobre a história de Nightglen e das grandes famílias, como a sua. Há tantos detalhes fascinantes que sei que só alguém como a senhora poderia explicar...

Adelaide assentiu, parecendo satisfeita com minha iniciativa. Então começou a falar sobre a fundação de NightGlen, lendas antigas, linhagens de bruxos renomados... eu escutava encantada, embora atendesse por qualquer informação sobre sua própria família. Até que, após uma pausa para mais chá, perguntei o que realmente queria:

— E quanto aos Shadowthorn? Li que são uma das famílias mais antigas da região... o que poderia me contar sobre a história deles?

Os olhos de Adelaide faiscaram de leve e um sorriso quase imperceptível surgiu em seus lábios antes que ela prosseguisse:

— Sim, temos uma ancestralidade de fato notável, mas não somos os únicos a ter um sobrenome antigo, sua família também está em NightGlen desde a fundação... Por séculos fomos grandes benfeitores de Nightglen, apesar de algumas ovelhas negras que acabaram gerando certa desconfiança nos Gareth. Mas nossa família já superou esses velhos estigmas há muito tempo...

Ela falava com orgulho e altivez. Porém, algo em seu olhar me dizia que havia mais por trás daquela versão lisonjeira da história dos Shadowthorn. Muito mais do que Adelaide estava disposta a revelar por hora...

Continuei fazendo perguntas estratégicas, tentando direcionar a conversa de volta para os supostos "estigmas" e más reputações do passado da família. Adelaide desconversava habilmente, mudando de assunto ou dando respostas evasivas. Até que, para minha surpresa, outra pessoa adentrou a sala, interrompendo nossa conversa:

Darius Shadowthorn. Ele parou surpreso ao me ver, os olhos azuis profundos cravados em mim com uma intensidade quase palpável.

— Elia? O que está fazendo aqui?

Percebi que ele usava luvas e tinha alguns arranhões visíveis no rosto pálido. Como se tivesse acabado de chegar de alguma tarefa árdua lá fora.

— Sua mãe gentilmente me convidou para o chá e uma agradável conversa sobre história e magia. - expliquei rapidamente, tentando soar casual.

Darius lançou um olhar intrigado para Adelaide, que apenas sorriu tranquilamente antes de responder:

— Está quase na hora do jantar, minha querida. Devo acompanhá-la até em casa agora, ou seu pai pode ficar preocupado.

Parecia não haver espaço para discórdia na voz melodiosa, porém autoritária de Adelaide. Despedi-me educadamente, prometendo visitá-la mais vezes, e segui Darius para fora da mansão. Mil perguntas fervilhavam em minha mente durante o caminho de volta pelo vilarejo da colina. Até que Darius quebrou o silêncio pensativo:

— O que minha mãe queria com você realmente, Elia? Tenho certeza que não foi apenas discutir velhos eventos históricos.

Ponderei se devia contar sobre minha investigação, e decidi pela sinceridade. Adelaide claramente já desconfiava de algo, então negar seria inútil. Expliquei minha busca por respostas e aproximação. Darius franziu o cenho, aparentemente tão intrigado quanto eu com as intenções de sua mãe ao me receber tão solicitamente.

— Adelaide sempre foi reservada em seus verdadeiros propósitos. Mas tenho certeza de que não a receberia assim sem segundas intenções. Tome cuidado, Elia... nem tudo é o que parece com minha família.

Assenti pensativa. Ele tinha razão para desconfiar. Adelaide claramente escondia algo sobre o legado dos Shadowthorn, e queria me manter por perto por motivos ainda obscuros.

— Não se preocupe, sei me cuidar. E também quero descobrir a verdade sobre sua família, sobre os eventos estranhos nessa vila e em toda NightGlen. Algo me diz que estamos todos conectados nisso, querendo ou não. Darius pareceu hesitante, mas logo suspirou resignado.

— Talvez esteja certa. E se esse for o caso, é melhor que esteja preparada. Coisas antigas e sombrias estão em movimento em Nightglen. Logo compreenderá.

Engoli em seco ante àquelas palavras pouco tranquilizadoras. Mas não demostraria fraqueza. Se estava destinada a participar de tudo aquilo, seja lá o que fosse, eu enfrentaria esse desafio de cabeça erguida.

Chegamos em casa e Darius logo se despediu, alegando outros afazeres. Mas, antes de partir, segurou minha mão e olhou fundo em meus olhos.

— Se precisar de mim, não hesite em me chamar, Elia. E tome cuidado... não quero que se machuque tentando desvendar verdades que talvez seja melhor deixar adormecidas.

Com essas palavras nebulosas, ele sumiu rua abaixo. Fiquei parada na porta por alguns instantes, tentando processar nosso estranho encontro e todas as novas informações. Uma coisa era certa: eu agora estava irreversivelmente ligada àquela família de algum jeito. E não descansaria enquanto não revelasse todos os seus obscuros segredos enterrados. Determinada, adentrei em casa para encontrar Gareth. Estava na hora de obter respostas também sobre os eventos noturnos e o envolvimento do Conselho com os Shadowthorn de uma vez por todas.

Encontrei meu pai sentado à mesa, rodeado por pergaminhos com anotações que logo tratou de disfarçar quando me viu. Seu olhar era carregado e havia olheiras fundas em volta de seus olhos, sinal de noites mal dormidas.

— Pai, o que está acontecendo? E não me venha com desculpas, sei que é algo grave. Preciso saber a verdade!

Gareth passou a mão pelos cabelos grisalhos, ponderando se devia realmente envolver a filha naquilo. Por fim, decidiu contar uma versão resumida dos fatos.

— Está bem, você já está grande o bastante para compreender... Mas deve manter segredo, esses assuntos do Conselho não podem se tornar de conhecimento público.

Concordei veementemente. Então ele revelou sobre os ataques noturnos, vítimas com ferimentos inexplicáveis, avistamentos de criaturas desconhecidas... até o momento, nem o Conselho nem os Shadowthorn haviam conseguido identificar ou deter a ameaça.

— Por isso as constantes reuniões e rondas noturnas ultimamente. Estamos tentando defender a vila como possíveis, mas esse inimigo parece se esquivar nas sombras.

Ouvi tudo estarrecida. A situação parecia ainda pior do que eu supunha.

— Tem que haver alguma forma de descobrir o que estamos enfrentando! Se ao menos pudéssemos capturar uma dessas criaturas...

— É arriscado demais! — Gareth negou veemente. — Já perdemos bons bruxos tentando. O melhor agora é reforçar as proteções e esperar que essa ameaça passe naturalmente.

Discordava de sua abordagem passiva, mas sabia que nada o faria mudar de ideia. Teria que agir por conta própria... e tinha a impressão de que os Shadowthorn pensavam da mesma forma.

— Está bem, pai... prometo não fazer nada perigoso. Mas fique atento. E por favor, cuide-se nas rondas noturnas.

Gareth assentiu, ainda reticente em me deixar ir. Mas eu tinha uma nova pista para seguir. Se essas criaturas noturnas eram a verdadeira fonte dos eventos sinistros, precisava descobrir mais sobre elas.

E conhecia alguém que talvez pudesse me ajudar...

Fiquei imersa em pensamentos enquanto planejava meu próximo passo. A visita à mansão dos Shadowthorn havia me proporcionado informações valiosas, mas também levantara mais questões do que eu podia contar. Agora, precisava encontrar Darius novamente e compartilhar o que descobrira. Talvez juntos pudéssemos desvendar o mistério por trás das criaturas noturnas e das atividades sombrias que assolavam Nightglen.

Na manhã seguinte, fui até o local onde costumava encontrar Darius. Esperei por algum tempo, mas ele não apareceu. Perguntei a alguns colegas se o tinham visto, mas ninguém parecia saber onde ele estava.

A ausência de Darius começou a me preocupar. Será que algo havia acontecido com ele durante suas missões noturnas? Será que ele estava envolvido diretamente com as criaturas e estava em perigo?

Decidi que não podia mais esperar. Eu tinha que encontrá-lo e descobrir o que estava acontecendo. Atravessando os becos e as ruas estreitas da vila da colina, segui em direção à mansão dos Shadowthorn.

Ao chegar lá, encontrei Adelaide novamente, desta vez na entrada da mansão. Ela parecia surpresa ao me ver.

— Srta. Elia, que surpresa revê-la tão cedo. Aconteceu alguma coisa?

Expliquei sobre a ausência de Darius e minha preocupação com seu paradeiro. Adelaide pareceu genuinamente surpresa e preocupada. Ela garantiu que não tinha ideia do paradeiro do filho e que ele não havia retornado naquela noite.

— Vou mobilizar alguns membros da família para procurá-lo. Não se preocupe, faremos o possível para encontrá-lo. Agradeço por sua preocupação, srta. Elia.

Agradeci a Adelaide e ofereci minha ajuda na busca por Darius. Ela aceitou minha oferta e disse que ficaria grata por qualquer informação que eu pudesse encontrar.

Com isso, comecei a percorrer a vila da colina e outros vilarejos de NightGlen, indo a lugares que Darius poderia frequentar em suas missões noturnas. Perguntei a algumas pessoas se o tinham visto, mas ninguém parecia ter informações.

Foi então que me lembrei de algo que Darius havia dito na nossa última conversa: "Se precisar de mim, não hesite..." Aquelas palavras ecoaram em minha mente e me deram uma ideia. Voltei à mansão dos Shadowthorn e pedi a Adelaide permissão para acessar a biblioteca da família. Eu tinha a intuição de que poderia encontrar alguma pista sobre o paradeiro de Darius nos livros e documentos guardados ali.

Ela consentiu e me conduziu até a biblioteca. Fiquei maravilhada com a quantidade de livros e pergaminhos que preenchiam as estantes. Comecei a vasculhar os títulos, procurando qualquer indício que pudesse me guiar. Foi então que encontrei um livro antigo, intitulado "As Criaturas Noturnas de Nightglen: Mitos e Realidade". Parecia ser exatamente o que eu precisava.

Folheei o livro avidamente, procurando informações sobre as criaturas que assolavam NightGlen a noite. Encontrei descrições detalhadas e algumas teorias sobre sua origem e comportamento. Quando me deparei com uma passagem que descrevia um local específico onde essas criaturas costumavam se reunir, senti uma mistura de excitação e apreensão. Era um local afastado, nos arredores de Nightglen, conhecido como a "Clareira das Sombras".

Decidi que era o momento de seguir até lá e investigar. Talvez Darius estivesse lá e precisasse de ajuda. Antes de partir, deixei um bilhete para Adelaide explicando minhas intenções e prometendo voltar com qualquer informação relevante. Caminhei determinada até a Clareira das Sombras. O local estava envolto em uma atmosfera sombria e misteriosa, e o silêncio era quase tangível.

Ao chegar lá, me deparei com uma cena inusitada. Darius estava de pé no centro da clareira, cercado por diversas das criaturas noturnas. Pareciam estar em uma espécie de conversa silenciosa. Assustada, mas decidida a ajudar, me aproximei com cautela. Quando Darius me avistou, seu olhar se iluminou com uma mistura de surpresa e alívio.

— Elia, o que está fazendo aqui? É perigoso!

— Eu estava preocupada com você, Darius.

Precisava ter certeza de que estava bem.

Ele assentiu agradecido, mas parecia tenso. As criaturas pareciam inofensivas, até mesmo curiosas com minha presença. Darius se virou para elas e começou a sussurrar em uma língua que eu não conseguia entender.

Foi então que percebi que Darius tinha uma conexão especial com essas criaturas. Ele as compreendia e podia se comunicar com elas de alguma forma. Depois de um tempo, as criaturas se dispersaram lentamente, como se tivessem recebido alguma orientação. Darius se virou para mim, com um olhar sério.

— Elia, preciso que me prometa que não vai contar a ninguém sobre o que viu aqui. Essas criaturas são parte importante de Nightglen e de nossa missão. E agora, mais do que nunca, precisamos protegê-las.

Prometi a Darius que manteria segredo e que o ajudaria no que fosse necessário. Ele parecia aliviado com minha resposta. Juntos, voltamos para a vila da colina, e no caminho, Darius começou a me explicar mais sobre as criaturas e o papel delas na proteção de Nightglen. Aquela era uma parte crucial da batalha contra as ameaças noturnas, e Darius era o elo entre as criaturas e os Shadowthorn.

A partir daquele momento, eu sabia que estava envolvida em algo muito maior do que podia imaginar. E estava determinada a fazer tudo o que fosse preciso para proteger Nightglen e desvendar os segredos que a envolviam. Darius e eu nos tornamos aliados nessa jornada, unidos pelo destino e pela necessidade de enfrentar as sombras que pairavam sobre a vila da colina e outros vilarejos de NightGlen.

Verdades ocultas

Após a reveladora conversa com Darius, eu agora tinha uma nova pista para seguir sobre as misteriosas criaturas que vinham aterrorizando Nightglen durante as noites. Mas precisaria de ajuda para investigar mais a fundo sem colocar a mim ou aos outros em perigo desnecessário. E eu conhecia outro alguém que talvez pudesse me ajudar...

Na manhã seguinte, cheguei mais cedo que o normal à Escola de Magia, esperando encontrar Lizeth antes das aulas começarem. Para meu alívio, a encontrei já sentada em um banco no pátio aberto, entretida com um livro arcano.

— Bom dia, Elia! Você parece preocupada... aconteceu alguma coisa? — Lizeth perguntou assim que me viu.

Sentei-me ao seu lado, ponderando como abordar o assunto. Por fim, decidi contar a verdade. Algo me dizia que podia confiar em Lizeth.

Expliquei toda a situação para ela: as criaturas noturnas, meus encontros com os Shadowthorn, a busca por respostas. Lizeth ouvia tudo com uma expressão séria, absorvendo cada palavra.

— Nossa, eu sabia que você estava metida em algo sinistro! E quer minha ajuda para investigar, certo? — ela concluiu, os olhos castanhos cintilando.

Confirmei, explicando meu plano de tentar rastrear e descobrir mais sobre aquelas misteriosas "assombrações" que atacavam a vila. Lizeth ouviu tudo com atenção e uma pitada de hesitação.

— Parece muito arriscado... mas você parece determinada, e eu não vou deixar minha melhor amiga nesta sozinha! Diga o que devo fazer.

Sorri, aliviada e grata por sua disposição em me ajudar. Juntas, traçamos nosso plano de investigação secreta. Começaríamos monitorando locais isolados durante as noites, esperando avistar alguma daquelas misteriosas criaturas relatadas pelas testemunhas. Caso conseguíssemos visualizar alguma, eu usaria feitiços rastreadores aprendidos com meu pai para marcá-la magicamente e poder segui-la até seu esconderijo.

Lizeth ficaria vigiando a uma distância segura para garantir que eu não corresse nenhum risco. Ela parecia nervosa com a ideia de que eu me aproximaria sozinha do possível monstro, mas entendeu que era necessário.

— Tem certeza de que não quer que eu chame Darius ou algum outro bruxo mais experiente para lhe acompanhar? — Lizeth sugeriu, ainda hesitante.

— Não, preciso fazer isso sem alertar o Conselho ou os Shadowthorn. — expliquei. — Se descobrirem, vão querer tomar o controle da situação e nunca chegarei à verdade.

Lizeth concordou relutante. Ela não gostava de desrespeitar regras ou desobedecer aos mais velhos, ao contrário de mim. Por isso valorizava ainda mais sua lealdade e coragem em me ajudar mesmo assim.

Elaboramos todos os detalhes do plano durante os intervalos ao longo do dia. Naquela noite, depois do jantar, escapulimos para fora de nossas casas e nos encontramos na praça central. De lá, fomos sorrateiramente até um casebre abandonado na periferia da vila abaixo da colina, um dos locais onde boatos diziam terem ocorrido avistamentos recentes.

Ocupamos posições estratégicas cobertas e passamos a esperar, todos os sentidos alerta. Porém, depois de horas sem nenhum sinal de criaturas, fomos forçadas a desistir e voltar para casa frustradas... Mas não iríamos nos dar por vencidas tão fácil. Era apenas o começo de nossa investigação secreta.

Nas noites seguintes, Lizeth e eu repetimos o ritual, explorando locais diferentes toda vez. Andávamos sempre com o coração na garganta, sobressaltando-nos ao menor ruído na escuridão. Por sorte, meu pai Gareth e o restante do Conselho permaneciam focados em suas rondas pelo centro de NightGlen, permitindo que passássemos despercebidas nas zonas isoladas da periferia.

Em nossa quinta noite de vigília, estávamos escondidas atrás de algumas árvores retorcidas observando uma velha casa abandonada no limite das últimas propriedades. O lugar exalava uma atmosfera sombria, ideal para abrigar criaturas noturnas. Eu já começava a desanimar depois de horas sem nada, quando ouvi Lizeth gemer baixinho ao meu lado. Segui seu olhar arregalado até uma das janelas da casa, onde dois vultos negros haviam acabado de pousar. Meu coração quase parou. Eram duas criaturas humanoides, mas com corpos esguios e membros extremamente compridos contorcidos de forma antinatural. Suas peles pareciam escamosas, refletindo um brilho fraco à luz do luar. Os rostos tinham feições disformes e olhos totalmente negros.

Troquei um olhar tenso com Lizeth. Era nossa chance! Enquanto minha amiga permanecia escondida ali, saí silenciosamente de trás das árvores e me aproximei lentamente, com varinha mágica em punho. Murmurei o feitiço de marcação que Gareth havia me ensinado, esperando acertar um dos seres. Porém, no momento que a luz da magia saiu de minha varinha, as criaturas viraram na minha direção alarmadas, urrando furiosamente. O que mais temia aconteceu: fui descoberta!

E agora, precisava correr por minha vida!

Virei-me rapidamente para fugir, ouvindo os guinchos enfurecidos das criaturas agora atrás de mim. Meu coração batia descompassado enquanto eu corria pela trilha escura de volta à vila central de NightGlen, tentando não tropeçar nas raízes de árvores. Felizmente, conhecia bem aqueles arredores. Consegui despistá-los ao dar uma volta maior e emergir próximo à praça central, onde sabia que membros do Conselho ainda estariam em ronda. Recostei-me ofegante atrás de uma grande fonte de pedra, tentando recuperar o fôlego...

Pelo visto, aqueles seres não se aventuravam em lugares mais movimentados. Mas foi por muito pouco... se eu não conhecesse uma rota de fuga, poderia ter virado presa fácil para aquelas horrendas criaturas famintas.

Alguns minutos depois, vi Lizeth surgir correndo pelo caminho, pálida e ofegante. Abracei minha amiga aliviada por também vê-la a salvo.

— Você conseguiu escapar! Pensei o pior quando vi aqueles monstros atrás de você...

— Felizmente conheço uns atalhos naquelas trilhas. Mas isso foi arriscado demais, quase fui pega!

Concordamos relutantemente que não podíamos continuar com aquela investigação sozinhas. Por mais que quiséssemos desvendar o mistério, a situação era simplesmente muito perigosa para nós.

Naquela noite, depois de me certificar de que Lizeth também chegara em casa bem, caí no sono exausta. Porém, pesadelos povoados por olhos negros e guinchos agourentos não me deixaram descansar verdadeiramente...

Pela manhã, uma decisão difícil me esperava. Chegara a hora de alertar o Conselho e os Shadowthorn sobre o que descobrimos. Por mais que doesse em meu orgulho, não podia calar uma informação tão crucial. Vidas dependiam disso.

Durante o café da manhã, contei tudo a Gareth, omitindo apenas o fato de que eu e Lizeth estávamos bisbilhotando sem permissão. Descrevi as criaturas estranhas e nosso quase encontro fatal com elas na casa abandonada. Meu pai ficou muito alarmado. Disse que iria convocar uma reunião de emergência do Conselho imediatamente para discutir essas valiosas novas informações.

— Você fez muito bem em nos contar, minha filha. Essas criaturas parecem extremamente perigosas... é um milagre que tenha escapado sem ferimentos!

— Tive muita sorte. — concordei, evitando olhar em seus olhos.

— Mas agora vocês podem tomar providências, certo? Para proteger a todos?

— Faremos o possível. — Gareth afirmou, já se levantando para partir. — Talvez finalmente estejamos mais perto de terminar com essa ameaça oculta de vez!

Assim que ele saiu apressado, corri para mandar um recado secreto a Darius através da mesma coruja mensageira de antes. Precisava avisá-lo sobre as criaturas antes que o Conselho desejasse abafar a informação.

Algumas horas depois, recebi a resposta de Darius marcando um encontro urgente à noite na biblioteca da escola, quando estivesse vazia. Meu coração acelerou. Estava na hora de unirmos forças para combater esse inimigo em comum.

À noite, após o jantar, escapei de casa novamente quando Gareth estava ocupado com papelada. Rumei sorrateira pela vila até os portões da Escola de Magia. Lá dentro, encontrei Darius já me aguardando entre as estantes empoeiradas. Sem perder tempo, compartilhei tudo o que havia visto. Darius ouvia com atenção concentrada, fazendo perguntas pontuais. Notei uma nova determinação em seu olhar quando terminei o relato.

— Fez muito bem em me procurar, Elia. Essas criaturas são perigosas, mas juntos poderemos detê-las...

Contei também sobre a reunião de emergência do Conselho, e como eles pretendiam agir a partir das novas informações.

— Eles não vão querer que nós nos envolvamos, vão tentar tomar o controle da situação. — expliquei. — Mas não podemos deixar essa ameaça continuar, precisamos agir! Darius concordou veementemente.

— Conheço um feitiço antigo capaz de banir essas criaturas, mas é muito complexo e necessita de dois bruxos poderosos conjurando em uníssono para funcionar. — revelou Darius.

— Então precisaremos treinar nosso trabalho em equipe. Onde podemos praticar sem sermos descobertos?

Darius refletiu por um momento antes de responder:

— Há um casebre abandonado nos limites da propriedade da minha família, podemos usar aquele local sem interrupções para nos prepararmos.

Combinamos de começar o treinamento secreto na manhã seguinte, aproveitando que não haveria aulas. Saí da escola assim que o relógio badalou meia-noite, sinalizando o toque de recolher vigente.

Por sorte, consegui chegar em casa sem cruzar com ninguém pelas ruas vazias. Gareth já dormia, permitindo que eu também me recolhesse rapidamente ao meu quarto. Precisaria estar bem descansada para o desafiador treino que teria pela frente.

Na manhã seguinte, saí de casa dizendo que iria estudar na biblioteca. Rumei às pressas para o casebre nos limites da propriedade dos Shadowthorn onde Darius já aguardava.

Passamos horas praticando o tal feitiço em conjunto, tentando atingir o nível de sincronia necessário. No início tivemos dificuldades, até mesmo para evitar que nossos poderes se chocassem. Mas após muito treino árduo, finalmente conseguimos executar o feitiço com sucesso contra alvos simulados.

Já estávamos suados e exaustos quando paramos para descansar um pouco. Porém, uma sensação de orgulho e satisfação permeava o ar. Estávamos prontos para usar nosso novo poder contra o terrível inimigo em uma emboscada certeira.

Agora, era só aguardar o momento oportuno para o confronto final...

Nos dias seguintes, mantivemos nosso treinamento em segredo, sempre sob o pretexto de que eu estava na biblioteca estudando.

Enquanto isso, o Conselho e os Shadowthorn organizavam suas próprias buscas e planos para tentar combater as criaturas com base nas informações que eu havia passado. Certo dia, estava saindo da escola quando uma carruagem negra parou diante de mim inesperadamente. Para minha surpresa, Adelaide Shadowthorn saiu de dentro, com uma expressão grave no rosto.

— Adelaide! Aconteceu alguma coisa?

— Preciso muito conversar com você, Elia. Por favor, entre.

Dada a urgência em seu tom de voz, entrei na carruagem sem hesitar. Lá dentro, contei a Adelaide sobre meu pacto secreto com Darius para deter as criaturas.

— Entendo que só queriam ajudar, mas é muito arriscado! Deixem essa batalha conosco, as crianças já fizeram sua parte. — disse Adelaide, segurando minhas mãos.

— Mas treinamos duro, estamos prontos! Não podem nos deixar de fora!

Adelaide ponderou por alguns instantes antes de responder:

— Talvez possamos chegar a um acordo... venha comigo.

Sem mais explicações, ela ordenou que a carruagem seguisse até a mansão dos Shadowthorn. Lá, explicou a situação para os outros e proposta de unirmos forças.

Após intensos debates, concordaram relutantemente em nos deixar participar, desde que permanecêssemos sob supervisão de um membro mais experiente o tempo todo. Era melhor do que ser excluída totalmente da batalha final.

Saí de lá exultante. Em breve, colocaríamos nosso plano em ação. E dessa vez, estávamos preparados para enfrentar o inimigo de frente, sem mais fugas ou segredos.

Aquela noite, reuni o Conselho e os Shadowthorn para traçarmos nossa estratégia. Juntos, iríamos garantir a segurança de Nightglen mais uma vez.

E dessa vez, eu tinha a chance de lutar lado a lado com Darius, como sua igual. Nossa conexão crescia a cada dia, e em breve seria inquebrantável...

A reunião para traçar a estratégia de ataque às criaturas durou até tarde da noite. Mapeamos todos os avistamentos recentes para identificar possíveis padrões e territórios de caça.

O plano era montar guarda nas duas casas abandonadas onde elas haviam sido vistas por mim e Lizeth, esperando surpreendê-las em novo ataque. Assim que aparecessem, eu e Darius usaríamos nosso feitiço combinado para banir os seres de volta às trevas.

Os outros membros do Conselho e da família Shadowthorn ficariam de prontidão caso algo desse errado. Como Adelaide havia ordenado, Lizeth e eu permaneceríamos sob supervisão até o momento decisivo do confronto.

Na noite marcada para a emboscada, todos ocupamos posições estratégicas cobrindo os dois locais prováveis de aparição das criaturas. A tensão no ar era palpável conforme esperávamos em vigília tensa.

Até que, ao longe, um uivo sobrenatural ecoou na escuridão, eriçando nossos pelos. Era o sinal de que o inimigo fora avistado se aproximando! Rapidamente corri com Darius para nos posicionar.

Logo visualizamos pelo menos seis daquelas horrendas criaturas emergindo da noite, famintas e furiosas. Mas dessa vez estávamos prontos para elas. Com uma troca de olhares, eu e Darius iniciamos o feitiço poderoso.

Nossas magias se entrelaçaram como fios dourados, crescendo em intensidade a ponto de engolfar todo o espaço. Os seres urravam de dor e ódio enquanto eram banidos de volta para o plano das trevas.

Quando a luz ofuscante se dissipou, não restava nada além de alguns montes de cinzas fumegantes onde antes estiveram as criaturas das sombras. Tínhamos sido vitoriosos! Abracei Darius, tomada pela euforia e alívio da vitória. Juntos, havíamos salvado Nightglen mais uma vez. E nosso vínculo agora era indestrutível.

De volta à mansão dos Shadowthorn, Adelaide mesmo nos recebeu com um raro e orgulhoso sorriso.

— Sabia que estavam destinados a grandes feitos! Castelbruxo tem uma nova geração de heróis protegendo-a agora...

Troquei um olhar cúmplice com Darius. Nosso trabalho como guardiões da vila mal havia começado.

A vitória sobre as criaturas das sombras marcou o início de uma nova era para Nightglen. Eu e Darius éramos agora reconhecidos como heróis, e nossa amizade se transformou em uma parceria poderosa.

Junto aos outros membros do Conselho e os Shadowthorn, passamos a trabalhar arduamente para fortalecer as defesas da vila e prevenir futuras ameaças. Estudávamos feitiços de proteção, treinávamos com afinco e mantínhamos nossos sentidos sempre alerta.

Lizeth, por sua vez, também encontrou seu papel na luta contra as trevas. Com sua inteligência e habilidade estratégica, ela se tornou uma peça fundamental em nosso grupo.

À medida que os dias passavam, nossa equipe se tornava cada vez mais coesa. O Conselho e os Shadowthorn confiavam em nossa habilidade e nos incluíam em todas as decisões importantes.

Minha ligação com Darius se fortalecia a cada dia. Nossos poderes combinados eram formidáveis, e juntos éramos imparáveis. Nos treinos, nossa sintonia era quase palpável, e sabíamos exatamente o que o outro estava pensando. Além disso, compartilhávamos momentos de descontração e risadas. Descobrimos que tínhamos muito em comum, desde gostos musicais até livros favoritos. Era incrível como nossos mundos se encaixavam de forma tão perfeita.

Em meio aos desafios e perigos, nossa amizade se transformou em algo mais profundo. Darius era o meu porto seguro, o apoio que eu precisava nos momentos difíceis.

Às vezes, nos pegávamos trocando olhares intensos, cheios de significado. Sabíamos que havia algo especial entre nós, algo que ia além da amizade e da parceria na luta contra o mal. Até que, em uma noite estrelada, após mais uma bem-sucedida patrulha pela vila, enquanto estávamos sozinhos na praça central, Darius segurou suavemente minha mão e olhou nos meus olhos.

— Elia, desde que nos unimos para proteger Nightglen, sinto algo muito mais profundo. Não é apenas uma ligação de magia, é algo que vai além disso. Eu...

Ele foi interrompido por um som inesperado: um suave riso vindo de trás das árvores. Lizeth apareceu, com um sorriso travesso no rosto.

— Desculpem, não pude evitar. Mas estava demorando demais, vocês dois! — ela disse, rindo.

Ficamos sem jeito, mas Lizeth nos tranquilizou.

— Olha, eu sempre soube que vocês dois tinham algo especial. É óbvio para qualquer um que olhe. E eu só queria dizer que estou feliz por vocês.

Abraçamos Lizeth, agradecendo por sua compreensão e apoio. Ela era verdadeiramente uma amiga incrível.

Darius e eu nos olhamos novamente, sem precisar de palavras para entendermos o que sentíamos. Nos aproximamos e, naquela noite sob as estrelas, nossos lábios desejaram se encontraram em um doce e promissor beijo, mas minha timidez me fez recuar e sufocar o sentimento.

A partir daquele momento, nossa jornada se tornou ainda mais significativa. Não éramos apenas companheiros na luta contra o mal, éramos também dois jovens apaixonados um pelo outro. Juntos, enfrentamos desafios maiores e nos tornamos ainda mais formidáveis como equipe. A vila prosperava sob nossa proteção, e NightGlen se orgulhava de ter heróis tão dedicados.

E assim, a história de Elia e Darius, de amor e coragem, se tornou parte da lenda de Nightglen, inspirando futuras gerações a acreditarem no poder da união e da determinação.

E, ao lado de Darius, eu sabia que podia enfrentar qualquer desafio que viesse pela frente. Unidos pela magia e pelo amor, éramos imparáveis. E juntos, escrevemos um novo capítulo na história de Nightglen.

O Baile Anual de NightGlen

Depois da gloriosa vitória contra as criaturas das trevas, eu e Darius nos tornamos heróis e exemplos para toda a Escola de Magia e até mesmo o reservado Conselho de Magos de NightGlen passou a demonstrar maior apreço por nós.

Uma grande comemoração foi organizada no salão nobre da escola. Pela primeira vez, fui o centro das atenções e não a estranha recém-chegada de Grammaria.

— Brilhante feitiço o de vocês! Espero que continuem usando seus dons para o bem de Nightglen. — disse o professor Horácio, erguendo uma taça.

Todos aplaudiam e nos cumprimentavam. Troquei um olhar tímido com Darius. Ainda não estávamos acostumados com tantos elogios. Até que o diretor Atheneu (substituto de Agnes) pediu silêncio e anunciou:

— Para celebrar mais esta vitória da luz, este ano o Baile Anual da escola terá um significado muito especial...

Murmúrios animados correram entre os estudantes. O Baile Anual era o evento mais aguardado do ano, uma chance de mostrar nossos melhores trajes a rigor e talentos artísticos com magia.

— Tenho certeza de que a Srta. Elia e o jovem Darius irão brilhar como anfitriões desta festividade. Aguardo a todos lá! — concluiu o diretor.

Engoli em seco. Anfitriões do baile? Aquilo sim que estava fora de minha zona de conforto. Mas Darius pareceu adorar a ideia, sorrindo com entusiasmo. E eu não poderia decepcioná-lo com menos...

Começaram os preparativos para o que prometia ser o Baile Anual mais memorável de todos! Nos dias que antecederam o evento, a escola inteira fervilhava com os planos e ensaios. Os professores de música preparavam apresentações especiais, enquanto a professora de artes mágicas supervisionava a decoração do salão principal com belíssimos arranjos flutuantes de flores e velas.

Eu estava muito ansiosa com a perspectiva de abrir aquele baile ao lado de Darius. Nunca fui muito hábil em danças ou música, sempre preferi a discrição aos holofotes. Porém, minha amiga Lizeth percebeu meu nervosismo e tentou me tranquilizar:

— Vai se sair bem, Elia! É a heroína do momento, todos vão adorar você!

— O problema não é a atenção... e se eu tropeçar ou esquecer os passos na frente de todos?

— Tenho certeza que Darius vai te guiar muito bem. Apenas desfrute a noite!

Ela tinha razão. Com Darius ao meu lado, daria tudo certo.

Reservei os dias anteriores para treinar discretamente em meu quarto, para evitar vexames...

Na noite do baile, me arrumei com capricho no belo vestido verde musgo com detalhes prateados que Adelaide me dera de presente. Meu coração disparou quando Darius, muito elegante, veio me buscar em casa.

— Você está deslumbrante, Elia! — sussurrou ele, beijando suavemente a minha mão.

Corada, aceitei seu braço e seguimos até o baile, onde fomos recebidos com palmas e assovios. Respirei fundo. Aquela seria uma noite inesquecível!

Abrimos as danças, e para meu alívio, tudo transcorreu bem. A conexão entre nós parecia guiar nossos passos sem esforço. Ao final, recebemos uma chuva de aplausos. O restante da festa foi pura magia.

Pela primeira vez, eu realmente me sentia parte de algo e pertencente àquela escola, como se finalmente estivesse em casa.

Depois de abrir o baile oficialmente com Darius, pudemos finalmente relaxar e aproveitar a festa como dois jovens comuns, sem pressões ou deveres. Foi uma sensação maravilhosa. Enquanto saboreávamos o delicioso ponche mágico que fazia bolhas multicoloridas, observávamos os colegas dançando animadamente ao som da banda contratada para animar a noite. Até mesmo Lizeth, sempre tão tímida, havia arrumado um par e agora girava sorridente pela pista. Fiquei feliz em vê-la também se divertindo naquela noite especial. Ela com certeza arrasaria quando fosse sua vez de abrir o Baile no ano seguinte.

Em determinado momento, uma música mais lenta começou a tocar. Darius estendeu a mão para mim com uma reverência:

— Me concede esta dança, senhorita Elia?

— Seria um prazer. — respondi corada, aceitando.

Nos juntamos aos outros casais que já giravam abraçados pelo salão ricamente decorado. Ao fim da música, Darius se curvou para um beijo suave em meus lábios. Foi como mágica, um momento perfeito que guardarei para sempre na memória.

A noite de festa acabou voando, e antes que percebêssemos já era hora de voltar para casa. Enquanto caminhávamos de mãos dadas de volta para casa, Darius comentou sorrindo:

— Esse foi o melhor Baile Anual de todos! Mal posso esperar pelo próximo... e por todos os que ainda teremos juntos pela frente.

Sorri também, radiante. Aquela noite marcava um novo capítulo em nossas vidas, cheio de esperança e possibilidades. Juntos, eu e Darius viveríamos grandes aventuras e também criaríamos novas tradições em Nightglen. Nosso futuro era brilhante como a lua cheia que nos iluminava naquela noite mágica.

Nos dias que se seguiram após o Baile Anual, um clima de otimismo e esperança parecia pairar sobre toda a escola e NightGlen. Era como se a nuvem negra finalmente tivesse se afastado daquele lugar, permitindo vislumbrar todo o potencial e alegria que existia em nossa comunidade. Até os professores mais ranzinzas e exigentes como o Sr. Colebrook pareciam mais benevolentes, tirando menos pontos por infrações bobas e até mesmo elogiando alunos que antes só criticava.

Eu e Darius éramos parados frequentemente pelos colegas nos corredores ou pátios querendo discutir sobre nossas aventuras heróicas. Alguns até pediam dicas para se tornarem bruxos tão poderosos quanto nós um dia.

— Na verdade acho que nossa força vem do trabalho em equipe e esperança. Cada um tem algo único a contribuir. — expliquei a um grupo de jovens.

Darius concordava, enfatizando a importância de cultivar nossas qualidades ao invés de competir. Queríamos ser exemplos positivos para essa nova geração. Até Orion, sempre tão debochado, parecia me tratar com mais cortesia e respeito desde a vitória contra as criaturas das sombras. Ele até me cumprimentou certo dia nos jardins da mansão de sua família quando eu estava saindo de uma sessão de estudos com Adelaide.

— Vejo que está se saindo bem, Elia. — falou ele de passagem.

— Talvez tenha herdado mais do sangue Shadowthorn do que pensávamos...

Não entendi o que ele quis dizer com herdado mais do sangue Shadowthorn, mas como a convivência com os Shadowthorn se tornou mais amigável desde a nossa vitória, é melhor deixar pra lá essa afirmação de Orion. Até porque Adelaide e Orion, especialmente, demonstravam um respeito maior por mim e Darius. Era como se a união para proteger a comunidade de NightGlen tivesse criado laços que antes pareciam impossíveis.

Em uma tarde rara em que o sol apareceu em NightGlen, enquanto eu estudava na biblioteca, Adelaide se aproximou com um sorriso sincero.

— Elia, gostaria de lhe agradecer por tudo o que fez por nós e por Nightglen e principalmente, por Darius. Estamos muito gratos.

Fiquei surpresa, mas agradeci pela consideração. Era reconfortante saber que nossa união estava ajudando a unir as famílias e a fortalecer a vila da colina e outros vilarejos de NightGlen.

Darius e eu continuamos a treinar e aprimorar nossos poderes juntos. Cada vitória nos deixava mais fortes e confiantes, e os desafios que enfrentávamos nos uniam ainda mais. Além disso, nossos sentimentos um pelo outro cresciam a cada dia. Estávamos mais próximos do que nunca, compartilhando sonhos, medos e aspirações. Sabia que tinha encontrado meu verdadeiro amor em Darius.

Certo dia, enquanto caminhávamos pelos jardins da escola, ele segurou minha mão com ternura e disse:

— Elia, desde que nos unimos para proteger Nightglen, minha vida ganhou um novo propósito. E isso se deve a você.

Fiquei emocionada com suas palavras e o abracei com carinho.

— Você também trouxe luz à minha vida, Darius. Juntos, somos imparáveis.

Naquele momento, percebi que estava pronta para compartilhar minha vida com Darius de forma ainda mais profunda. E foi com grande alegria que em pensamento aceitei seu olhar a me pedir em namoro.

Claro, ele não tinha me pedido em namoro formalmente, mas na minha cabeça se passava um turbilhão de pensamentos: com a bênção dos nossos pais e a aprovação dos amigos, se Darius quiser começamos esse novo capítulo juntos. E era como se o universo conspirasse a nosso favor, pois tudo parecia se encaixar perfeitamente.

Os dias se transformaram em semanas, e as semanas em meses. Nosso amor crescia a cada momento, tornando-nos mais fortes e confiantes não apenas como indivíduos, mas como um casal unido pelo destino.

Em uma tarde mágica, Darius me levou para um passeio no campo, longe dos olhares curiosos da escola e da vila da colina... Encontramos um cenário idílico, com flores silvestres e um riacho tranquilo refletindo os raios do sol. Ver o Sol irradiante em NightGlen é uma raridade por aqui. Ali, Darius se ajoelhou diante de mim, segurando uma pequena caixa.

— Elia, desde que nos conhecemos, minha vida mudou de maneiras que eu jamais poderia ter imaginado. Você é a minha luz, o meu porto seguro. E hoje, aqui, neste lugar especial, quero te fazer uma pergunta...

Com lágrimas nos olhos, interrompi sua pergunta e aceitei o pedido que ele me oferecia. Era um momento de pura magia, um símbolo do nosso amor e compromisso um com o outro.

Contei a novidade somente para minha amiga Lizeth, mas inexplicavelmente a notícia do nosso namoro se espalhou rapidamente, e a alegria que sentíamos era contagiante. A escola e a vila inteira celebraram conosco, demonstrando um apoio que nos encheu de gratidão.

Nos meses que se seguiram, os preparativos para o jantar oficial do anúncio de nosso namoro ocuparam nossos dias. A escola se uniu para organizar uma cerimônia digna de um conto de fadas, com a professora de artes mágicas cuidando da decoração e o professor Horácio ensaiando uma música especial para a ocasião.

Lizeth e outros amigos se juntaram a nós como padrinhos de namoro, e juntos, planejamos cada detalhe com carinho e dedicação. Era uma celebração não apenas do nosso amor, mas também da união de Nightglen como uma comunidade unida.

E finalmente, chegou o grande dia. Sob um céu estrelado, cercados por familiares e amigos, eu e Darius trocamos nossos votos de amor eterno. O brilho em seus olhos enquanto ele me olhava era a prova de que estávamos no caminho certo.

A festa que se seguiu foi uma explosão de alegria e felicidade. Dançamos, rimos e celebramos a vida e o amor que nos unia.

À medida que a noite avançava, olhei para Darius e sorri. Sabia que estávamos prontos para enfrentar qualquer desafio que o futuro nos reservasse, porque estávamos juntos.

E assim, começamos nossa jornada como namorados, prontos para enfrentar o que quer que viesse pela frente. Unidos pela magia, pelo amor e pela força da comunidade de Nightglen, sabíamos que éramos imparáveis. E juntos, escreveríamos uma história de amor e coragem que duraria para sempre.

O treinamento

Após os eventos do Baile Anual e de ter anunciado meu namoro com Darius, a vida parecia ter entrado nos eixos em Nightglen. Mas eu sabia que não podia baixar a guarda. Ainda havia muito para aprender se quisesse estar preparada para os desafios futuros.

Por isso, retomei meu treinamento secreto na Torre da Floresta com Mestre Alquimista Vladimir Shadowthorn. Mesmo depois de tudo que passamos, ele insistia que eu ainda precisava aperfeiçoar meu domínio dos feitiços e poções mais avançadas, pois o básico, Darius já tinha me ensinado na escola de magia.

— O mal pode retornar a qualquer momento, em qualquer forma. — alertou ele certa vez. — Precisa estar pronta antes que a escuridão se erga novamente, jovem Elia.

E assim as semanas se passavam entre as aulas normais na escola, meus momentos com Darius e as extenuantes sessões de treino com Vladimir. Eu voltava para casa exausta, mas satisfeita com meu progresso constante.

Certo dia, já dominando feitiços de ataque e defesa mais complexos, decidi tentar executar um poderoso encanto de ilusão mesmo sem Vladimir pedir. Para minha surpresa, consegui conjurar realisticamente uma matilha de lobos negros famintos rugindo e cercando Vladimir por todos os lados.

Ele precisou recorrer a um contra feitiço para dissipar as ilusões, e mesmo assim levou alguns segundos compreendendo o que acontecera. Então me encarou com um largo sorriso e falou:

— Excelente, Elia! Seu domínio dos encantamentos de ilusão logo rivalizará com o dos maiores mestres que conheci. Seu progresso tem sido notável.

Sorri, orgulhosa com seu raro elogio. Mal podia esperar para colocar em prática tudo que aprendia para defender Nightglen de qualquer nova ameaça. E dessa vez, eu estaria verdadeiramente preparada para o desafio. Porém, dominar feitiços de ataque e defesa avançados não era tudo. Vladimir também me treinava em outras habilidades essenciais para estar apta a enfrentar as forças das trevas, como poções curativas, dissipação de maldições, rompimento de feitiços malignos, e principalmente, oclumência.

— Precisa proteger sua mente de influências externas. — explicou ele certa vez. — Há aqueles que usam a leitura dos pensamentos e controle da vontade para corromper até mesmo o mais nobre dos corações.

E assim, todos os dias eu praticava bloquear minha mente das tentativas de Vladimir de acessar meus pensamentos e memórias. No começo, ele conseguia facilmente contornar minhas frágeis barreiras mentais. Mas com o tempo, passei a resistir por mais tempo, até ser capaz de repelir totalmente suas investidas.

Outra habilidade que tive que desenvolver foi a capacidade de discernir ilusões e disfarces criados por magia das trevas. Vladimir me ensinou feitiços para revelar o verdadeiro âmago das coisas e pessoas, por trás dos véus enganosos tecidos pelas trevas.

Isso se provaria essencial para desmascarar servos do mal que tentassem se ocultar com falsas aparências para se infiltrar em Nightglen. Graças ao treino com Vladimir, eu estaria preparada quando esse dia chegasse. E os dias realmente passavam rápido entre tanto estudo, treino e também os passeios ao luar com Darius sempre que tínhamos uma folga.

Às vezes participávamos das festividades na comunidade de NightGlen, outras apenas caminhávamos abraçados conversando sobre nossos sonhos e esperanças. O amor entre nós parecia crescer mais a cada dia, enquanto enfrentávamos juntos os desafios do caminho. Um olhar já era suficiente para sabermos o que o outro pensava ou sentia. Nossa conexão ia além do físico ou racional...

Nossa ligação era como um fio de magia que nos unia de forma profunda e inexplicável.

Com Darius ao meu lado, eu me sentia invencível, pronta para enfrentar qualquer desafio que o destino nos reservasse.

À medida que os meses passavam, Nightglen prosperava. Os vilarejos antes divididos por clãs, agora estavam mais unidos do que nunca, e a escola de magia se tornara um verdadeiro lar para todos nós. A atmosfera era de otimismo e esperança, e eu sabia que estávamos prontos para enfrentar qualquer ameaça que surgisse.

A notícia da nossa união e dos nossos treinos com Vladimir se espalhou, e logo éramos vistos como os guardiões de Nightglen. As pessoas nos olhavam com respeito e admiração, e eu me sentia honrada em poder proteger aqueles que amava. Mas, apesar da tranquilidade aparente, eu sabia que o mal ainda podia se esconder nas sombras, à espreita, esperando o momento certo para atacar. Por isso, continuei a me preparar, a aprimorar meus poderes e a fortalecer minha mente contra qualquer influência maligna...

Em uma noite estrelada, enquanto caminhava pelos jardins da escola com Darius, olhei para o céu e senti uma mistura de gratidão e determinação. Estava pronta para enfrentar o que viesse, ao lado do homem que amava.

— Juntos, seremos imparáveis, Darius. — disse, olhando nos olhos dele com confiança.

Ele sorriu, segurando minha mão com carinho.

— Assim como as estrelas no céu, nosso amor brilhará eternamente, Elia. Nada poderá apagá-lo.

E naquela noite, sob o manto de estrelas cintilantes, senti uma nova onda de energia e determinação me inundar. Sabia que estávamos prontos para enfrentar qualquer desafio, armados com amor, fé e esperança, magia e a força da nossa união.

Os dias continuaram a passar, e Nightglen se tornou um verdadeiro refúgio de luz e esperança. Éramos uma comunidade unida, pronta para proteger tudo o que amávamos. E assim, eu e Darius seguimos juntos, enfrentando o futuro com coragem e determinação. Unidos pela magia e pelo amor, sabíamos que éramos capazes de superar qualquer obstáculo.

E assim, nossa jornada continuou, repleta de aventuras, desafios e momentos de pura magia. Juntos, enfrentaríamos o que quer que o destino nos reservasse, com a certeza de que nossa união era nossa maior força. E assim, escrevemos nossa própria história, uma história de amor e coragem que ecoaria pelos tempos, como uma luz que nunca se apaga.

Nova Vida em NightGlen

Alguns anos se passaram em Nightglen desde o meu treinamento com Vladimir e Darius... E uma nova vida nesse vilarejo era tudo que eu não esperava encontrar, pois ainda mantinha a esperança de regressar a Grammaria.

Porém, numa manhã de primavera, quando os raros raios de sol atravessavam a janela do meu quarto e me despertaram mais cedo que o habitual. Não me importei, pois aquela prometia ser uma das minhas manhãs preferidas desde que me mudara para Nightglen. Hoje, Darius e eu iríamos fazer um piquenique campestre nos arredores da vila da colina, aproveitando o clima ameno e ensolarado, uma raridade nessa região normalmente nublada e tempestuosa.

Levantei-me animada, tomando o desjejum rápido antes de me preparar. Passei mais tempo que o normal escolhendo um vestido bonito e confortável e arrumando meus longos cabelos ruivos com esmero. Queria estar perfeita para esse momento especial com Darius, afinal, não sabia quando teria outra chance assim, de ver a luz do sol refletida nos olhos do meu amado! Coloquei na cesta as delícias que havia preparado na noite anterior, sanduíches, tortas doces, sucos, e uma garrafa do melhor vinho da adega de meu pai Gareth. Darius viria me buscar a qualquer momento em sua carruagem para partirmos...

... Mal podia conter a ansiedade e felicidade que transbordavam dentro de mim enquanto aguardava ansiosamente sentada na sala, ouvindo atenta o tic tac do relógio e qualquer som de cascos de cavalo se aproximando. Finalmente, depois do que pareceu uma eternidade, ouvi o tilintar distinto da carruagem de Darius parando em frente da casa.

Levantei-me num pulo, correndo para a porta e acenando de longe assim que avistei Darius descendo elegantemente vestido com calças negras justas, camisa branca com babados e um casaco azul real ricamente bordado. Ele retribuiu o aceno, seu sorriso deslumbrante como a própria luz do sol. Desci apressada os degraus da entrada, mal conseguindo conter minha empolgação.

Darius tomou minhas mãos, beijando-as suavemente antes de dizer com sua voz aveludada: "Minha cara Elia, está absolutamente radiante esta manhã. Pronta para nosso picnic campestre?" Concordei veementemente, logo em seguida sendo guiada por ele até a carruagem. Lá dentro, rumamos animadamente até uma clareira florida nos limites da vila onde planejávamos passar algumas horas desfrutando da companhia um do outro e das maravilhas da natureza.

Assim que chegamos, descarregamos tudo e estendemos uma bela toalha xadrez sob a sombra fresca de um majestoso carvalho. Em seguida, tiramos as comidas e bebidas da cesta, brindando alegremente ao nosso amor antes de saborear aquela refeição preparada com tanto carinho e expectativa.

Enquanto comíamos e bebíamos, conversávamos descontraídos sobre nossos sonhos, planos, trocando juras e rindo das piadas um do outro. Darius nunca parecera tão leve e feliz antes, sem o peso dos deveres das trevas que o assolavam no passado. Ali éramos apenas dois jovens apaixonados, livres para desfrutar de nossa companhia e juventude sob a brisa suave e o canto dos pássaros naquele dia perfeito de primavera.

Depois do farto picnic, deitamos abraçados na toalha, apenas observando as formas curiosas das nuvens que passavam sobre nós. Nada no mundo poderia melhorar aquele momento, à não ser por um...

Infelizmente, como tudo que é bom dura pouco, nossa tarde idílica logo chegava ao fim. O sol começava a se pôr no horizonte quando finalmente decidimos, reticentes, que estava na hora de partir e voltar para casa.

Começamos a guardar os itens espalhados, tomando o cuidado de não deixar para trás nenhum vestígio de nossa passagem. Queríamos preservar a beleza intocada daquele lugar especial e respeitar a natureza e o espaço dos animais que ali viviam.

Quando já estávamos prestes a subir na carruagem, Darius segurou suavemente meu braço, me fazendo voltar. Seu semblante agora estava sério, sua respiração ofegante, suas mãos geladas e seu coração acelerado... Intrigada, olhei em seus misteriosos olhos azuis buscando alguma pista do que se passava!

Foi então que, para meu completo espanto, Darius posicionou um joelho no chão e retirou de seu casaco uma pequena caixa de veludo negro, abrindo-a para revelar um requintado anel com uma pedra violeta cintilando magnificamente à luz do entardecer e um pouco desajeitado, falou:

— Minha amada Elia... nem todas as magias ensinadas por Vladimir nesses anos seriam capazes de expressar a intensidade do que sinto por você e nem poderia expressar o que guardo dentro do peito. Quero tê-la ao meu lado cada manhã ao acordar e cada noite antes de dormir, por todos os dias, meses e anos que me restarem. Faria a gentileza de aceitar se tornar minha esposa e senhora Shadowthorn?

Lágrimas de felicidade brotavam em meus olhos ao ouvir aquelas doces palavras que nunca imaginei vir de alguém tão reservado como Darius. Num impulso, me ajoelhei também e o abracei forte, sussurrando emocionada em seu ouvido:

— Sim... mil vezes sim, meu amor! Você é tudo que sempre sonhei, e mal posso acreditar que deseja compartilhar sua vida comigo. É como um sonho se tornado realidade em minha vida!

Olharmos um para o outro e sem dizer mais nada, nos beijamos apaixonadamente antes de Darius gentilmente colocar o anel em meu dedo. Ficou perfeito, como se estivesse destinado desde sempre a mim.

Então caminhamos de volta à carruagem, não mais como apenas namorados, e sim como noivos prestes a iniciar uma nova fase em nossas vidas.

Meu coração transbordava de alegria e esperança durante o trajeto de volta para casa. Finalmente, depois de tantos desafios, nosso amor triunfara, e nenhuma sombra poderia abalar a felicidade que sentia naquele momento.

Mal podia conter minha empolgação quando Darius foi deixar-me em casa após o pedido de casamento. Combinamos de contar a novidade para nossas famílias no jantar já marcado para dali a dois dias na mansão dos Shadowthorn. Até lá, guardaríamos o delicioso segredo.

Durante os dois dias seguintes até o jantar, tive que disfarçar ao máximo meu sorriso bobo e olhar sonhador para evitar levantar suspeitas prematuras de Gareth e minha amiga Lizeth. Inventei a desculpa de estar apenas orgulhosa com meu progresso nos estudos para justificar minha evidente felicidade.

Finalmente, a noite tão esperada chegou. Vesti-me com esmero, colocando um belo colar de esmeraldas que combinava perfeitamente com o anel de noivado. Darius veio me buscar e juntos fomos de carruagem até a imponente mansão de sua família.

Lá dentro, Adelaide e Vladimir já nos aguardavam com uma farta e sofisticada ceia preparada. Fomos recebidos calorosamente e nos sentamos à mesa decorada com um requintado jogo de porcelana trazido especialmente da França para a ocasião.

Depois que todos já haviam se servido das diversas iguarias e o clima estava descontraído, Darius se levantou e pigarreou para chamar a atenção. Todas as cabeças na mesa voltaram-se para nós dois curiosas.

Então, com um largo sorriso, Darius anunciou a novidade tão esperada:

— Caros familiares, tenho o grande prazer e honra de compartilhar com vocês que a maravilhosa senhorita Elia concordou em se casar comigo! Estamos noivos!

Houve uma explosão de felicidade e congratulações. Vladimir deu tapinhas orgulhosos nas costas de Darius, enquanto Adelaide derramava lágrimas de emoção, apertando minhas mãos. Até mesmo o rabugento Orion parecia genuinamente satisfeito pela novidade. O restante do jantar transcorreu num clima de festa e planos para o futuro. Seria realizado um casamento suntuoso, convidando bruxos importantes de toda região. E essa união selaria de vez a redenção e aceitação dos Shadowthorn entre a comunidade mágica local e também pelo meu pai Gareth, que sempre foi um tanto cético com a família de Darius.

Depois do jantar na mansão dos Shadowthorn para anunciar nosso noivado, eu e Darius partimos em direção a minha casa e estávamos decidindo como daríamos a noticia ao meu pai Gareth...

Meu coração batia acelerado conforme nos aproximávamos do lugar onde meu pai, Gareth, nos esperava. Sua expressão normalmente séria adicionava uma pitada de melancolia, e eu sabia que minhas escolhas o haviam deixado cético em relação à família de Darius.

Segurei a mão de Darius com firmeza, buscando coragem em seu olhar amoroso. Caminhamos juntos em direção ao meu pai, cujo semblante cerrado revelava suas preocupações.

"Pai", comecei, com a voz um pouco trêmula. "Darius e eu... nós nos amamos verdadeiramente e desejamos embarcar na jornada do casamento. Sei que há desconfianças em relação à família dele, mas Darius é um homem honesto e honrado. Ele prometeu proteger e amar-me por toda a vida, e eu confio em suas palavras com todo o meu ser."

Meu pai ouviu atentamente, seus olhos perscrutando o rosto de Darius. Mantive a respiração suspensa, ansiosa pela sua resposta.

"Elia", disse meu pai com uma voz grave e cautelosa. "Confesso que tenho preocupações em relação à família de Darius. Os Shadowthorn são portadores de magia antiga e misteriosa, e tenho receio dos caminhos pelos quais ela pode nos levar. No entanto, compreendo a genuinidade do amor que vocês compartilham. Diante disso, concedo minha permissão para que sigam em frente com seus planos matrimoniais."

Um calafrio de alívio percorreu meu corpo, e um sorriso trêmulo se formou em meus lábios. A expressão grave de meu pai deu lugar a um sutil vislumbre de aceitação, e eu soube então que ele estava cedendo a uma confiança relutante em Darius.

"Pai, agradeço pelo seu voto de confiança. Darius é minha rocha, meu companheiro na jornada da vida. Juntos, enfrentaremos todas as adversidades que possam surgir. Eu o vi em seu melhor e em seu pior, e em todas as facetas, ele me mostrou seu amor inabalável. Se você pudesse conhecer a beleza e a gentileza que existem em seu coração, talvez pudesse ver além das sombras que o envolvem."

Meu pai olhou para nós dois em silêncio por um momento, seus olhos expressando um conflito interno. Finalmente, ele assentiu lentamente, uma mistura de resignação e esperança refletida em seu rosto.

"Elia, minha filha...", disse ele, com a voz trêmula de emoção contida. "Nas suas palavras, vejo um amor verdadeiro que transcende os medos e incertezas. Darius, se você for capaz de cumprir sua promessa de amar, honrar e proteger minha filha, então eu dou minha permissão para que compartilhem suas vidas no sagrado vínculo do casamento."

Lágrimas de alegria encheram meus olhos, enquanto abracei meu pai com gratidão profunda. Senti o coração de Darius transbordar de felicidade ao lado de nós, e soube que esse momento de aprovação do meu pai selava o começo de uma jornada compartilhada, sustentada pelo amor e respeito mútuos.

Com nossas mãos entrelaçadas e nossos corações conectados, deixamos aquele lugar, envoltos na certeza de que, juntos, superaríamos quaisquer obstáculos que surgissem em nosso caminho. A cada passo rumo ao nosso futuro, meu amor por Darius se fortalecia, e eu sabia que ele carregava consigo a bênção de meu pai em nosso casamento.

Enfim, depois de tantas provações, nosso amor triunfara plenamente. E mal podíamos esperar para iniciar esse novo e promissor capítulo em nossas vidas, agora como marido e mulher. O futuro jamais pareceu tão luminoso e eu, brevemente, seria uma Shadowthorn.

Os preparativos para o casamento começaram sem demora. Adelaide e Vladimir supervisionavam cada detalhe para garantir que fosse uma ocasião verdadeiramente memorável e mágica. O salão nobre da mansão Shadowthorn foi ricamente decorado com belos arranjos de flores brancas e velas flutuantes. Um grupo de ninfas da floresta foi contratado para providenciar uma música ambiente encantada. O cardápio seria um festim digno da realeza, com pratos requintados e raros trazidos de todos os cantos.

Convites foram enviados às mais importantes famílias de bruxos de toda região, alertando sobre a honrosa união entre os herdeiros dos clãs Gareth e Shadowthorn. Adelaide não poupou esforços para transformar aquele casamento no evento do século entre a comunidade mágica.

Já eu mal conseguia conter a ansiedade e nervosismo normais de qualquer noiva. Passava horas intermináveis tentando escolher o vestido e penteado perfeitos com a ajuda de Lizeth. Queria estar completamente deslumbrante no dia para impressionar não só Darius, mas todos os convidados ilustres, inclusive, minha mãe Isadora que há anos não a via.

Apesar de toda formalidade dos preparativos, no íntimo eu só conseguia pensar na emocionante perspectiva de finalmente me unir de corpo e alma àquele que era dono do meu coração. Os votos que trocaríamos e nossa primeira valsa como marido e mulher eram os momentos que realmente ansiava vivenciar.

Finalmente, depois do que pareceu uma eternidade de espera, amanheceu o tão aguardado dia do matrimônio. Desde as primeiras horas, um burburinho de atividade tomou conta da mansão

Shadowthorn, com criados correndo de um lado para outro garantindo que cada detalhe estivesse perfeito.

Em meu quarto, Lizeth me ajudou com o elaborado penteado, maquiagem e o deslumbrante vestido branco cravejado de pedras preciosas. Observando-me no espelho, mal reconhecia a noiva radiante refletida nele. Estava pronta para o momento que definiria o resto de minha vida ao lado do homem que amava.

Quando enfim chegou a hora, e desci a imponente escadaria da mansão de braços dados com Gareth, tive que conter o ímpeto de correr pelo tapete vermelho até onde Darius me aguardava no altar florido. Seu olhar de admiração e felicidade ao me ver foi o melhor presente que poderia ter ganhado naquele dia especial. Porém, minha felicidade não estava por completa, pois meus olhos não via sinal de minha mãe Isadora naquele lugar!

O casamento transcorria como um sonho. Todos os convidados tinham olhos somente para a bela noiva que flutuava graciosamente pelo tapete vermelho em direção aos votos que mudariam sua vida. Entretanto, ninguém notou as nuvens escuras se adensando no céu lá fora, até que os primeiros trovões retumbaram.

De repente, um estrondo abalou a propriedade inteira, fazendo os lustres de cristal tilintarem. Gritos dos convidados soaram quando as portas do salão foram escancaradas violentamente por uma rajada gélida. Então, uma névoa negra se materializou ali dentro, tomando a forma de uma horrenda criatura... Quem ousaria atrapalhar meu casamento?

O retorno das Trevas

Era Lorde Damus, o terrível servo das trevas que julgávamos banido! Ele lançou Darius e Vladimir longe com um gesto, rindo malignamente:

— Pensaram que tinham visto o último de mim? Pois as trevas retornaram, e dessa vez ninguém poderá impedi-las de engolir essa terra!

Um grito de horror coletivo ecoou pelo salão. Os convidados entraram em pânico, correndo em todas as direções. Enquanto Darius e Vladimir se levantavam atordoados, Lorde Damus avançou na minha direção, faminto por vingança.

Eu mal tive tempo de erguer minha varinha antes que ele me agarrasse pelo pescoço, seus olhos faiscando perigosamente aos me encarar.

— Desta vez tenho uma isca valiosa para garantir a vitória das trevas contra os Shadowthorn...

E desapareceu comigo antes que alguém pudesse reagir, deixando para trás apenas meu buquê de flores, sinal de que aquela união tão sonhada não se concretizaria naquele dia sombrio. As trevas haviam retornado para reivindicar o que ambicionavam...

Enquanto Lorde Damus me arrastava para dentro de um portal negro, pude ouvir os gritos desesperados de Darius ao fundo. Mas era tarde demais, a escuridão já nos engolfara completamente, e todos os sons do salão de festa desapareceram, substituídos por um silêncio mortal.

Quando a névoa negra se dissipou, me vi em uma caverna rochosa fracamente iluminada por tochas presas às paredes úmidas. Ossadas e correntes pontilhavam o chão de terra. Lorde Damus finalmente me soltou, empurrando-me contra a parede.

— Seja bem-vinda ao meu humilde lar, bruxa da luz. Será uma hóspede de honra até que seus amigos venham implorando pela sua vida... então exigirei que entreguem de vez esta terra às trevas!

Tentei ocultar meu medo e encará-lo desafiadoramente:

— Eles nunca cederiam a você, monstro! Assim que descobrirem onde estamos, irão acabar com você mais uma vez!

Lorde Damus soltou uma gargalhada que reverberou sinistramente pela caverna.

— Desta vez estou preparado para eles. Contei com a arrogância de acharem que meu reinado de terror havia terminado... agora é tarde demais para me impedirem!

Ele ergueu as mãos, recitando palavras em uma língua vil de arcanos antigos. Grilhões surgiram no chão, aprisionando meus tornozelos e pulsos. Caí de joelhos, incapaz de me mexer.

— Mal posso esperar para ver a esperança morrer nos olhos deles quando descobrirem que estão impotentes para salvá-la desta vez... - sibilou Lorde Damus antes de me deixar sozinha na penumbra caverna.

Lágrimas brotaram em meus olhos enquanto forcei em vão contra as correntes que me aprisionavam. Meu vestido de noiva agora estava sujo e rasgado. E o futuro que parecia tão luminoso apenas algumas horas atrás agora estava sombrio como como as trevas.

Mas no fundo, eu sabia que Darius não desistiria de mim. Mesmo enfrentando o próprio inferno, ele viria me resgatar das garras das trevas. E dessa vez, acabaríamos com Lorde Damus para sempre... ou morreríamos tentando.

Enquanto eu definhava naquela caverna maldita, Darius reuniu todos do Conselho dos Magos da Luz em Nightglen para uma missão de resgate. Adelaide e Vladimir estavam furiosos por terem permitido que Lorde Damus os enganasse e escapasse novamente. Enquanto Gareth culpava todos os Shadowthorn por Elia ter sido levado por lorde Damus.

— Desta vez, vamos exterminar esse mal de uma vez por todas! Elia deve estar apavorada precisando da nossa ajuda... não falharei com ela novamente! — declarou Darius, empunhando sua espada.

Combinaram de realizar um feitiço localizador usando meu vestido de noiva rasgado como foco. Após algumas tentativas falhas, finalmente detectaram meu paradeiro: uma caverna nas profundezas da Floresta Sombria, reduto conhecido das trevas.

Sem perder mais tempo, organizaram um grupo de resgate com os melhores guerreiros disponíveis. Partiram imediatamente rumo ao norte, sob o céu negro trovejante, preparados para a batalha. Darius cavalgava à frente de todos, determinado a me alcançar e eliminar Lorde Damus de vez.

Enquanto isso, eu já desistira de lutar contra as correntes, meus pulsos e tornozelos feridos e sangrando pelo atrito. Ouvia apenas o gotejar opressivo em algum canto e o bater descompassado do meu coração. Até que passos ecoaram na caverna, se aproximando.

Ergui os olhos esperançosos, acreditando por um momento que Darius havia chegado. Mas era Lorde Damus, trazendo uma bandeja com um prato de algo nojento que devia ser minha refeição.

— Precisa manter as forças, minha cara... em breve teremos visitas importantes! — debochou ele.

Cuspi aos seus pés com desprezo, mesmo sabendo que me arrependeria disso depois. Lorde Damus urrou e me golpeou com suas garras, deixando sulcos sangrentos em meu braço. A dor foi cegante, mas não daria a ele o gostinho de ver meu sofrimento.

Em breve, Darius e os outros chegariam. E a esperança de vê-lo derrotar Lorde Damus de vez mantinha minha sanidade enquanto eu definhava naquelas masmorras fétidas.

Apenas algumas horas de agonia depois, ouvi sons de batalha ecoando cada vez mais perto. Meu coração quase parou. Eles haviam chegado! Lorde Damus rosnou alguma praga antes de correr para defender seu território.

Agora, era questão de tempo até que Darius chegasse até mim. E dessa vez, sairíamos juntos daquela caverna maldita de uma vez por todas.

A batalha furiosa entre as forças de Nightglen e os servos de Lorde Damus parecia se aproximar cada vez mais de minha prisão. Ouvia gritos, estrondos e urros ecoando pelos túneis. Até que, de repente, tudo ficou em silêncio.

Prendi a respiração, temendo o que aquele silêncio poderia significar. Será que Lorde Damus havia derrotado meus amigos? Não... não podia perder as esperanças agora!

Foi quando ouvir passos apressados vindo na minha direção. Ergui os olhos turvos para a entrada e, dessa vez, meu coração quase saiu pela boca de felicidade. Era Darius!

Seu belo rosto estava sujo de fuligem e sangue, mas ao me ver quebrou em um largo sorriso aliviado. Correu até mim, ajoelhando-se para examinar meus ferimentos.

— Meu amor... graças aos céus está viva! Aquele monstro pagará pelo que fez!

Com um aceno de sua espada, as correntes que me aprisionavam se desfizeram. Cambaleei fraca, sendo amparada por seus braços fortes. Me senti reviver depois de provar o doce sabor de seus lábios nos beijos preocupados que cobriram meu rosto.

— Lorde Damus... os outros... — balbuciei fraca, ainda temerosa.

— Não se preocupe. Está acabado. Nossa luz venceu as trevas mais uma vez. Agora vamos deixar esse lugar maldito para trás.

Darius rasgou parte de sua capa para enfaixar meus ferimentos, então pegou-me no colo com cuidado. Seguiram por túneis escuros até que finalmente a luz do sol invadiu minha vista, depois de tanto tempo na escuridão.

Lá fora, nossos amigos comemoravam felizes por ver que eu estava a salvo. As forças de Lorde Damus haviam sido totalmente aniquiladas. Darius me depositou delicadamente em uma padiola, onde curandeiros logo cuidaram dos meus ferimentos.

Enquanto retornávamos para Nightglen, troquei um olhar cúmplice com meu noivo, nossas mãos entrelaçadas. Havíamos sobrevivido a essa terrível provação das trevas. E pensei inocentemente, nada mais atrapalharia nosso tão sonhado final feliz!

Porém, uma cortina de fumaça paraiva no céu do vilarejo mais próximo de Nightglen...

O Ataque do Xykar

... Ao percebermos o céu cinzento em pleno dia no vilarejo mais próximo, ao invés de comemorarem, um pressentimento ruim pareceu tomar conta de todos. Aquilo fora fácil demais!

Nossa suspeita se confirmou quando emergimos para a superfície, deixando a caverna da floresta sombria. No horizonte, uma sinistra fumaça negra cobria nossa amada Nightglen. Lorde Damus nos enganara!

Enquanto me mantinha prisioneira como isca, ele trouxera o terrível Xykar do mundo das trevas para atacar e dominar nossa NightGlen indefesa. Como pudemos cair nessa armadilha vil?

Todos se apressaram de volta para casa, já temendo o pior. Por toda parte havia rastros de destruição e fogo. Seres das sombras agora caminhavam livremente pelas ruas outrora pacíficas. Tínhamos chegado tarde demais.

Darius golpeou uma árvore com sua espada, urrando de raiva. Eu chorava copiosamente, me sentindo culpada por ter sido o instrumento daquela desgraça, mesmo sem culpa real.

Restava apenas uma opção àqueles valorosos guerreiros: enfrentar o Xykar em uma última batalha desesperada. Mesmo feridos e exaustos, eles ergueram suas armas e partiram rumo ao centro de NightGlen, dispostos a morrer se preciso para resgatar seu lar das garras das trevas.

Lorde Damus pagaria caro por manipular o amor de Darius por mim a fim de causar tamanha dor e destruição. Dessa vez, eles não descansariam até eliminar essa ameaça para sempre... nem que isso lhes custasse a vida.

Enquanto eu soluçava desolada, amaldiçoando minha ingenuidade que permitira Lorde Damus armar aquela armadilha, Darius e os outros já marchavam corajosamente em direção à capital sitiada. Eu implorara para acompanhá-los, mas Darius me fez prometer solenemente que eu ficaria a salva nas margens de NightGlen até que ele viesse me buscar.

— Não suportaria perdê-la novamente, meu amor. Espere aqui, prometo voltar vivo e vitorioso! — foram suas palavras antes de partir com os guerreiros.

E então eu os vi desaparecerem rumo à batalha que decidiria o destino de nosso mundo. Mesmo feridos e exaustos, partiam de cabeças erguidas, prontos para um último sacrifício em nome de nossa terra natal.

As horas passavam lentamente enquanto eu aguardava angustiada, imaginando os horrores que se abatiam sobre nossa amada Nightglen naquele momento. Até que, em determinado ponto, uma estranha sensação se apossou de mim. Algo no ar mudara.

Corri assombrada adentrando NightGlen, temendo o pior. Foi quando me deparei com a cena que mais temia: Darius e nossos amigos estavam de volta, carregando corpos ensanguentados em padiolas. Haviam falhado em destruir lorde Damus e seus exércitos sombrios...

Corri soluçando para Darius, que caiu de joelhos, derrotado. Os guerreiros sobreviventes tinham olhares perdidos e vazios. O mal triunfara sobre a luz naquela fatídica noite. Xykar e Lorde Damus agora dominavam Nightglen irreversivelmente.

Em desespero, segurei o rosto de Darius entre minhas mãos, implorando que houvesse esperança. Seu olhar dizia tudo. Estava acabado. Nem todo nosso amor e poder haviam sido suficientes...

As trevas cobriam nossa terra como um manto negro agora. E sob a risada malevolente de Lorde Damus ecoando ao longe, só nos restava fugir com os sobreviventes e reconsiderar dolorosamente nossos próximos passos nessa batalha aparentemente perdida.

Com o coração despedaçado, fui forçada a fugir pela noite com Darius e um punhado de sobreviventes, deixando nossa amada Nightglen entregue às forças demoníacas de Xykar e Lorde Damus. Ainda podíamos ouvir os gritos de agonia e o crepitar das chamas conforme a escuridão engolia aquela que um dia fora nosso lar.

Seguimos pela floresta densa sem rumo ou esperança, apenas buscando colocar a maior distância possível entre nós e aquele pesadelo. Muitos estavam gravemente feridos e precisaram ser carregados em improvisadas macas pelos companheiros.

Eu avancei em silêncio abraçada a Darius, nossa dor e exaustão palpáveis. Seu olhar estava vazio, perdido em lembranças que agora pareciam pertencer a outra vida. Nossa única opção era seguir adiante, embora não soubéssemos para onde.

Após caminhar até o amanhecer, finalmente paramos para descansar numa clareira. Curamos os feridos da melhor forma possível e enterramos com lágrimas aqueles que haviam perecido bravamente na batalha.

Então, reunidos em volta de uma fogueira fraca, começamos a discutir nosso próximo passo. Alguns sugeriram tentar pedir reforços das aldeias vizinhas. Outros defenderam partirmos para o exílio, fugindo o mais longe possível daquela terra amaldiçoada.

Darius permaneceu em silêncio por muito tempo, apenas observando as chamas crepitantes. Até que se pronunciou, com uma firmeza renovada no olhar:

— Não. Não fugiremos como covardes abandonando nosso povo à própria sorte. Reagruparemos nossos aliados e contra-atacaremos... custe o que custar!

As palavras de Darius reacenderam a chama da esperança em nossos corações abatidos. Erguemo-nos decididos a seguir seu chamado às armas, dispostos a morrer se preciso para recuperar nossa terra.

Começamos a enviar mensagens secretas convocando aliados das vilas próximas e também os heróis de Grammaria para nosso último ato de guerra nas montanhas. Velhos amigos e novos voluntários logo se juntaram à nossa causa. Treinamos sem descanso, preparando feitiços e estratagemas.

Eu me empenhei como nunca para dominar novos encantamentos de ataque e cura. Estudamos o inimigo incansavelmente, procurando fraquezas. Darius assumiu a liderança, seus planos ousados reavivando a coragem em nossos corações.

Apesar do clima de esperança, a dor da perda de tantos entes queridos permanecia viva. Todas as noites eu chorava abraçada a Darius até pegar no sono. Ele afagava meus cabelos, prometendo vingança.

Até que o dia do ataque chegou. Marchamos sob o céu negro até as portas da amada Nightglen. Darius gritou seu desafio para Lorde Damus e suas forças demoníacas. Trovões rugiam enquanto a batalha tinha início.

Dessa vez estávamos preparados. Os feitiços que conjurávamos em conjunto causavam terrível dano às hostes inimigas. Avançamos pela vila sitiada, pouco a pouco recuperando território.

Quando enfim chegamos ao covil de Lorde Damus, irrompemos em uníssono lançando toda nossa fúria e poder acumulados. O próprio ar parecia vibrar conforme a magia colidia entre o bem e o mal.

Agora, tudo dependeria de nossa determinação de ver Nightglen livre novamente... nem que para isso precisássemos sacrificar nossas próprias vidas.

A batalha contra as forças demoníacas de Lorde Damus era encarniçada. Avançávamos lentamente pela vila sitiada, ganhando terreno palmo a palmo. Muitos caíram ao longo do caminho, mas seguíamos adiante com coragem e sede de vingança.

Eu conjurava feitiços poderosos ao lado de Darius, visando causar o maior dano possível ao inimigo. Vladimir e Adelaide também lutavam destemidamente, apesar da idade avançada. Até mesmo o jovem Edgar, meu grande amigo, derrubava adversários com sua adaga encantada.

Quando enfim alcançamos os portões da propriedade dos Shadowthorn, onde Lorde Damus havia instalado seu quartel-general, nossa fúria aumentou ainda mais. Aquele lugar guardava preciosas memórias que ele agora manchava com seu toque vil.

Avançamos como uma avalanche impiedosa pelos jardins outrora belos, agora negros e retorcidos pela magia negra. Nada nos deteria até recuperar o que era nosso por direito. Nem mesmo a morte.

Dentro da mansão, encontramos Lorde Damus sentado tranquilamente no trono dos Shadowthorn, saboreando uma taça de vinho como se celebrasse sua vitória nefasta. Sua arrogância fez nosso sangue ferver.

Cercamo-lo, varinhas e espadas em punho, prontos para eliminar aquele mal de vez. Seu exército estava destruído, não havia para onde fugir. Seu destino estava selado. Caímos sobre Lorde Damus com toda nossa fúria...

A luta que se seguiu foi brutal e sem piedade. Mas dessa vez, a justiça prevaleceria. Nightglen seria nossa novamente.

A batalha contra Lorde Damus parecia não ter fim. Ele era muito forte e conjurava feitiços das trevas poderosos, tentando nos manter afastados. Mas continuaríamos avançando, não importava o custo.

Darius se destacava, seus golpes certeiros enfraquecendo o inimigo pouco a pouco. Mas Damus também era astuto, e em dado momento se teletransportou às minhas costas e me prendeu como refém.

— Mais um passo e ela morre! — ameaçou Damus, sua lamina negra encostada em meu pescoço.

Darius parou no lugar, me encarando apreensivo. Eu tentava sinalizar para ele continuar o ataque, mas Damus apenas pressionou mais a navalha.

— Podem desistir agora e deixar Nightglen pacificamente, e deixarei sua amada viver. — sibilou Damus, saboreando seu momento de vantagem.

Eu não podia permitir que Darius e os outros se rendessem quando estávamos tão perto. Fechei os olhos e concentrei todo meu poder em um feitiço explosivo, mirando no chão abaixo de nós.

O impacto fez Damus voar longe, me libertando. Mesmo atordoada, reergui minha varinha contra o vilão. Darius sorriu orgulhoso e prosseguiu seu ataque.

Lutamos lado a lado, evitando os feitiços retaliatórios de Damus. Até que Darius o acertou certeiramente no peito com sua espada flamejante, fazendo-o rugir de dor.

Eu conjurei então todas as forças da natureza contra Lorde Damus - raios, ventos, pedras. Não sobraria nada dele quando acabássemos. Nightglen seria nossa novamente.

Exaustos, mas exultantes, observamos o corpo de nosso terrível inimigo se desintegrar até restar apenas uma mancha negra no chão. Tínhamos vencido! Nosso lar estava livre!

As Profecias Antigas

Com Lorde Damus derrotado, agora só nos restava encontrar um meio de banir o terrível Xykar de volta ao mundo das trevas de onde viera. Porém, isso parecia impossível, pois sua essência demoníaca o tornava imune a qualquer machado ou feitiço nosso.

Foi quando Vladimir lembrou de antigas profecias que mencionavam um ritual capaz de abrir um portal e aprisionar Xykar novamente em seu reino. Partimos imediatamente para sua torre, em busca dos pergaminhos ancestrais que continham a chave para nossa salvação.

Depois de muito procurar em meio a livros empoeirados, finalmente Vladimir exclamou eufórico, seus olhos muito abertos sobre um velho pergaminho.

Depois de muito procurar em meio a livros empoeirados, finalmente Vladimir exclamou eufórico, seus olhos muito abertos sobre um velho pergaminho com estranhos símbolos:

— Encontrei! Escutem isso: "Quando a fera infernal se erguer, apenas o Cristal Sagrado no Pico dos Anciões poderá baní-la ao Crepúsculo Eterno..."

Trocamos olhares esperançosos. Então havia uma maneira de abrir um portal e fazer Xykar voltar para seu mundo das trevas! Precisávamos apenas encontrar esse misterioso Cristal Sagrado.

De acordo com o mapa de Vladimir, o Pico dos Anciões ficava a três dias de viagem ao norte pelas Montanhas Sombrias. Decidimos partir imediatamente, antes que Xykar pudesse reconstruir suas forças após a derrota de Lorde Damus.

A viagem foi difícil e perigosa, enfrentando frio congelante, feras desconhecidas e terrenos acidentados. Mas continuamos firmes em nosso objetivo. Após tres longos dias, avistamos ao longe o majestoso Pico dos Anciões emergindo acima das nuvens.

Escalamos cuidadosamente até o cume pelos desfiladeiros rochosos. Lá, em uma caverna congelada, encontramos enfim o que buscávamos: um cristal enorme e brilhante, pulsando com energia antiga. O Cristal Sagrado da profecia!

O levamos até Nightglen o mais rápido possível. Segundo o pergaminho, o ritual devia ser realizado no exato momento em que a Aurora Boreal surgisse no horizonte, durante o solstício de inverno. A hora do Crepúsculo Eterno para Xykar estava próxima...

De volta a Nightglen, começamos os preparativos para o ritual que enviaria Xykar de volta ao mundo das trevas. Reunimos os ingredientes místicos necessários e estudamos cada detalhe do encantamento. O Cristal Sagrado foi mantido escondido, protegido por feitiços.

Enquanto isso, redobramos as guardas e proteções pela vila. Xykar ainda nos ameaçava, suas criaturas infernais rondando à espreita. Tínhamos que resistir mais alguns dias até chegar o solstício de inverno, quando o ritual poderia ser realizado.

Para nossa sorte, ele parecia estar enfraquecido e desorientado após a queda de Lorde Damus. Mesmo assim, sabíamos que sua fúria seria terrível quando descobrisse nossos planos. Estávamos lidando com uma força além da nossa compreensão.

Na véspera do solstício, tudo estava pronto. O local do ritual foi decorado com velas e símbolos sagrados traçados no chão. Darius foi incumbido de guiar o feitiço, por seu poder e conexão com as energias telúricas.

Reunimo-nos ao pôr do sol, no momento exato em que o céu começou a dançar com as cores esverdeadas da Aurora Boreal, como previra a profecia. Era chegada a hora de devolver Xykar ao abismo de onde nunca deveria ter saído.

Darius ergueu o Cristal Sagrado alto enquanto recitava as palavras arcanas. Um vórtice dimensional começou a se abrir, sugarindo a escuridão circundante. Orion se posicionou próximo ao portal recém-aberto, pronto para empurrar Xykar de volta ao seu mundo assim que aparecesse.

De repente, um urro sobrenatural ecoou enquanto uma sombra gigantesca emergia da névoa negra. Xykar avançou suas garras na direção de Darius, na tentativa de impedir o feitiço. Foi quando Orion saltou em ação.

Usando sua força descomunal, ele agarrou uma das pernas distortedas de Xykar e começou a arrastá-lo na direção do vórtice dimensional. A fera debatia-se furiosamente, mas Orion não o soltaria até que estivesse do outro lado. Com um grito de guerra, Orion deu o último puxão, sumindo pelo portal com Xykar.

Fechei os olhos aliviada enquanto a passagem se fechava com um estalo. Xykar estava banido! Orion havia sacrificado sua vida para salvar Nightglen. Seu nome seria lembrado com honras por muitas gerações...

Porém, dias depois, Vladimir ainda tinha esperanças de que Orion pudesse estar vivo em algum lugar do submundo. Ele decidiu realizar um ritual arriscado, invocando seu antigo aliado Ilex para pedir ajuda!

Após desenhar símbolos arcanos e entoar encantamentos, uma figura esguia emergiu da fumaça negra. Era Ilex, de pele acinzentada e olhos totalmente negros.

Vladimir pediu que ele usasse seus poderes sombrios para localizar Orion. Após breve hesitação, Ilex revelou ter sentido a presença dele preso em algum ponto do Abismo. Orion estava vivo, porém precisaria de ajuda para escapar e voltar!

Inicialmente hesitantes, decidimos confiar na palavra de Ilex e seguir suas instruções para abrir um portal até Orion. Embora arriscado, não poderíamos abandoná-lo à própria sorte depois de seu sacrifício para banir Xykar e salvar Nightglen.

Assim, Vladimir e Darius conjuraram o feitiço para criar uma passagem até o Abismo, enquanto eu e os outros nos preparávamos para adentrar aquele mundo sombrio e resgatar nosso amigo.

De mãos dadas, atravessamos o portal dimensional até uma paisagem nebulosa e perturbadora. O ar era pesado e opressivo, e vultos negros espreitavam à distância. Seguimos as coordenadas fornecidas por Ilex até uma caverna esculpida na rocha negra.

Lá dentro encontramos Orion acorrentado e ferido, mas vivo. Com um feitiço poderoso, Darius quebrou suas correntes, permitindo que o carregássemos de volta ao portal antes que fosse tarde.

Já do outro lado, em segurança, cuidamos dos ferimentos de Orion, que ainda estava inconsciente. Por sorte Vladimir sabia poderosas magias de cura, trazendo-o de volta à lucidez após longas horas de tratamento meticuloso.

Quando Orion finalmente abriu os olhos, foi como se todos respirássemos aliviados. Ele parecia fraco e desorientado, mas fora do perigo. Conseguimos explicar onde estava e o que havia acontecido.

— Pensei que jamais veria a luz do sol novamente... — sussurrou Orion, com voz rouca. — Devia ter desconfiado que vocês, tolos sentimentais, viriam atrás de mim.

Trocamos sorrisos. Por mais que Orion fingisse rudez, sabíamos que no fundo ele também faria o mesmo por cada um de nós. Éramos mais do que amigos ou aliados. Éramos uma família.

Enquanto comemorávamos a volta de Orion, nenhum de nós percebeu uma sinistra criatura alada que escapara sorrateiramente do portal aberto para o submundo antes que se fechasse. Seria alguma criatura maléfica, aproveitando a chance para adentrar em nosso mundo?

Por hora, estávamos apenas aliviados por ter Orion de volta são e salvo. Mas essa ameaça oculta logo revelaria sua terrível face, colocando-nos diante de mais um desafio aparentemente intransponível.

Confronto de sangue

Nos meses seguintes após o retorno de Orion do submundo, ele passou a agir de forma cada vez mais impulsiva e agressiva. Enquanto todos atribuíam isso ao trauma, eu comecei a desconfiar que algo mais sinistro estava em jogo.

Certo dia, o encontrei no sótão da mansão Shadowthorn com um artefato negro pulsante em suas mãos. Orion parecia eufórico e fora de si. Quando tentei alertá-lo do perigo, ele me atacou com uma fúria sobrenatural.

Foi então que compreendi, horrorizada, que Orion não estava mais no controle de si. Alguma força demoníaca o possuíra, transformando-o numa marionete do mal. Mas nenhum outro acreditava em minhas suspeitas.

Os meses se passaram com Orion ficando cada vez mais violento e imprevisível. Até que certa noite ele desapareceu misteriosamente. Temendo o pior, partimos à sua procura pela floresta...

E encontramos muito mais do que esperávamos. Algo que colocaria a própria Nightglen em risco.

No coração da floresta, Orion flutuava no ar envolto por uma aura maligna, seu corpo contorcido de forma antinatural. No chão ao seu redor, símbolos rituais brilhavam em um tom violeta sombrio.

Ao nos ver, Orion gargalhou de forma gutural, revelando presas pontiagudas. Seus olhos antes azuis agora eram totalmente negros. Então, uma voz cavernosa disse através dele:

— Tolos... seu amigo não existe mais. Sou Xykar renascido! E dessa vez, ninguém poderá me deter para conquistar esse mundo!

Trocamos olhares de puro terror. Como isso era possível? Orion se sacrificara para banir Xykar! E no entanto, a entidade demoníaca agora o possuía como um titere sinistro.

Antes que pudéssemos reagir, Xykar ergueu Orion pelo pescoço com sua magia maligna. Precisávamos agir rápido para salvar nosso amigo e impedir que o monstro se fortalecera totalmente.

Vladimir começou a entoar um contra feitiço, fazendo Xykar rugir de ódio. Enquanto isso, eu e Darius o distraíamos com feitiços de luz para enfraquecer sua forma física.

A batalha foi feroz, mas não desistiríamos até ter Orion de volta e banir Xykar mais uma vez. Seu retorno custara caro, mas iríamos corrigir esse erro e proteger Nightglen a qualquer preço.

"Quando agarrei Xykar para dentro do vórtice dimensional, pensava que estaríamos indo para o Abismo do submundo, mas algo deu errado. Caímos lutando ferozmente através de águas turvas, céus flamejantes, até chegar a um lugar que parecia Nightglen, mas tudo estava... ao contrário.

Era como se estivéssemos em um mundo paralelo maligno e sem vida, uma realidade espelhada e distorcida. Xykar parecia se fortificar ali inicialmente, até que notei um medo genuíno em seu olhar, algo que nunca vi antes. Ele sentiu uma presença antiga muito além de seu próprio poder ou qualquer criatura que já enfrentamos.

Foi quando Xykar me aprisionou e assumiu controle do meu corpo e mente, vagando de volta ao vórtice original até chegar ao submundo. Ainda sinto que uma parte dele infecta minha alma, apesar de banido..."

"Quando abrimos aquele portal para o submundo a fim de resgatar Orion, também senti uma perturbação, como se uma sombra tivesse nos espreitado naquele momento.

Desde então, não consigo afastar a sensação inquietante de que alguma coisa ou criatura maligna pode ter escapado para nosso mundo naquele ritual. Algo antigo e poderoso, espreitando nas sombras e esperando a chance de atacar...

Por isso redobrei meu treinamento com Vladimir, para estar preparada quando esse mal oculto finalmente revelar sua face. Pois de uma coisa tenho certeza: mais cedo ou mais tarde, ele emergirá das trevas trazendo destruição. E precisamos estar prontos."

A batalha contra Xykar, que havia possuído o corpo de Orion, foi frenética. Tentávamos a todo custo fazer Orion retomar a consciência, para expulsar o espírito demoníaco que o controlava.

Em dado momento, Xykar ergueu Orion no ar, preparando um feitiço mortal contra mim. Vladimir, mesmo debilitado pela idade avançada, se colocou na minha frente, absorvendo o impacto da magia negra.

O valente Vladimir desabou no chão com um grito agonizante. Aproveitei a breve distração de Xykar e lancei meu contra-feitiço, fazendo Orion desmoronar inconsciente, finalmente livre da possessão maligna.

Ajoelhei-me perto do querido mentor Vladimir, que lutava para respirar. Seu olhar transmitia uma serenidade emocionante. Com lágrimas nos olhos, prometi cuidar de tudo de agora em diante. Ele confiava em mim para proteger Nightglen.

E assim Vladimir partiu em paz, tendo cumprido sua missão de me preparar e agora entregando o futuro em minhas mãos. Seu sacrifício jamais seria esquecido...

Após a trágica morte de Vladimir defendendo a vila de Xykar, seu corpo foi velado no salão nobre da mansão Shadowthorn, para que todos pudessem prestar suas últimas homenagens ao amado mago e mentor.

A comoção foi geral entre os moradores de Nightglen. Jovens e idosos, poderosos e humildes, todos vinham chorando e rezando diante de seu caixão aberto, onde Vladimir jazia em serena paz, como que adormecido.

Muitos compartilhavam histórias e lembranças sobre como Vladimir havia tocado e melhorado suas vidas ao longo dos anos. Seu conhecimento e bondade foram um farol guiando incontáveis bruxos rumo a caminhos de luz.

Até os membros mais rígidos do Conselho derramavam lágrimas, les rendendo homenagens ao sábio cujos conselhos prudentes evitaram inúmeras tragédias ao longo dos anos em Nightglen.

Ao ver a dor sincera de toda comunidade, compreendi verdadeiramente o legado invaluable que Vladimir deixava para trás, muito além de mim. Sua vida fora um verdadeiro dom, e seu sacrifício não seria em vão. Protegeria Nightglen em seu lugar, custasse o que custasse.

O treinamento intensivo

A aurora mal tingia o horizonte quando me encontrei imersa em um treinamento incansável. Cada músculo do meu corpo doía, mas a ideia de desistir estava fora de questão.

Golpeava o boneco de treino com minha espada encantada, visualizando-o como um inimigo implacável. Cada movimento, cada esforço, era uma preparação para o confronto que sabíamos estar se aproximando.

Subitamente, uma voz familiar soou atrás de mim:

— Não adianta esgotar suas energias antes mesmo da batalha começar...

Era Darius, observando-me com uma expressão preocupada. Tentei disfarçar o cansaço e ofereci um sorriso forçado:

— Apenas me aquecendo... é crucial ficar mais forte, não importa o custo.

Darius segurou minhas mãos, seu toque reconfortante mesmo em meio à minha exaustão.

— Elia, você já é a feiticeira mais poderosa que conheço. E não estamos sozinhos nessa luta. Deixe-nos ajudá-la.

Suspirei, permitindo que minhas defesas baixassem. Era verdade, minha busca por força havia me fechado de maneira imprudente.

— Me desculpe... prometo não exagerar. Apenas não quero falhar Vladimir ou testemunhar mais inocentes sofrerem.

Darius lançou um olhar compreensivo, como se entendesse cada um dos meus receios.

— E eles não sofrerão. Juntos, encontraremos essa nova ameaça e a enfrentaremos. No entanto, você também precisa se cuidar. Vamos, é hora do café da manhã.

Um sorriso genuíno curvou meus lábios enquanto deixava que Darius me guiasse de volta para a vila. Com amigos assim ao meu lado, senti-me invulnerável.

Enfrentaríamos os desafios que o destino lançasse sobre nós, unidos e determinados a não repetir os erros do passado. A certeza de nossa união era um lembrete constante de que prevaleceríamos sobre as sombras.

À medida que os dias passavam sem novos ataques, permiti-me relaxar, pensando que talvez o pior tivesse passado. Como estava equivocada...

Foi numa noite tempestuosa que o aviso nos alcançou. Criaturas aladas foram avistadas pairando sobre Nightglen, um presságio sinistro.

Corri até a janela, um arrepio percorrendo minha espinha enquanto avistava as formas escuras cruzando o céu noturno, em direção à nossa vila. Um bando de fúrias, sinistras servas das trevas.

Agarrei meu cajado e irrompi pela noite, determinada a enfrentá-las antes que chegassem às casas. Encontrei Adelaide e Orion já engajados em uma batalha feroz contra as horrendas criaturas na praça central.

Sem hesitar, juntei-me à luta, convocando feitiços de luz para afugentar e cegar as fúrias. Porém, persistiam, uivando com fúria diante de nossos esforços.

Então, uma voz gutural ecoou, uma voz que fez até meus ossos tremerem:

— Rendam-se, tolos! Em nome do Devorador de Almas, entreguem a vila e pouparei suas míseras vidas!

"O Devorador de Almas!" O nome reverberou em minha mente, um nome que evocava medo e desespero. No entanto, não nos curvaríamos à escuridão.

"Nightglen jamais se submeterá às trevas!" Gritei para a noite, desafiando a ameaça que nos cercava.

Exausta, cuidei dos ferimentos de meus companheiros da melhor maneira possível antes de finalmente me permitir descansar. No entanto, nosso momento de paz foi breve.

No dia seguinte, o Conselho se reuniu em caráter de urgência. O conhecimento de que o Devorador de Almas agora nos visava como alvo espalhou pânico por toda a vila.

— Precisamos fortalecer nossas defesas e estar preparados para o inevitável. - declarou Gareth com seriedade. - Vou pedir auxílio das aldeias vizinhas para lidarmos com essa ameaça do Devorador de Almas.

Minha mente estava imersa em pensamentos sombrios, preocupada com a iminente batalha que se aproximava. Vladimir, meu mentor e protetor, havia sido morto na luta contra o Xykar, e agora enfrentávamos uma nova ameaça que me era pessoal.

Durante a reunião, revelei o que sabia sobre o Devorador de Almas, como ele escapara pelo portal do submundo quando fui resgatar Orion. No entanto, esse ser terrível ainda não se apresentava para lutar diretamente.

Nossos dias eram agora preenchidos com a preparação e treinamento, cada membro da vila contribuindo para a defesa de Nightglen. Eu tinha um papel especial a desempenhar, não apenas como feiticeira poderosa, mas como alguém que possuía uma ligação única com o Devorador de Almas.

Em meio aos preparativos, encontrava consolo nos rostos familiares que estavam ao meu lado. Adelaide, Orion e Darius eram minha força, minha âncora em meio à tempestade que se formava. Juntos, traçamos estratégias e fortalecemos nossos laços.

À medida que o dia da batalha se aproximava, os moradores de Nightglen eram tomados por um misto de ansiedade e determinação.

Não éramos apenas uma vila, éramos uma família unida pelo objetivo de proteger nosso lar.

No dia decisivo, com a ameaça do Devorador de Almas pairando sobre nós, as aldeias vizinhas enviaram reforços para se unirem à nossa luta. A atmosfera estava carregada de tensão enquanto nos posicionávamos para enfrentar o desconhecido.

As horas se arrastaram e, finalmente, avistamos a chegada das primeiras sombras aladas no horizonte. As fúrias, servas do Devorador de Almas, anunciavam o início da batalha.

Lutamos com determinação e coragem, enfrentando as fúrias em uma dança de feitiços e espadas. A união entre os moradores de Nightglen e os reforços das aldeias vizinhas se provou essencial, e juntos fizemos um escudo de luz contra as trevas que se aproximavam.

A batalha se estendeu até que os primeiros raios do sol surgiram, e as fúrias restantes se dispersaram, incapazes de suportar a luz do dia. Ficamos exaustos, feridos, mas triunfantes.

Apesar da vitória, eu sabia que o Devorador de Almas ainda estava lá fora, esperando sua chance. Ele não havia aparecido pessoalmente na batalha, mas sua presença pairava sobre nós como uma ameaça constante.

A vitória não marcou o fim da nossa luta, apenas o começo de um novo capítulo na nossa jornada. O Devorador de Almas ainda estava à espreita, e eu estava determinada a enfrentá-lo, a descobrir o motivo de seu interesse em mim e a proteger Nightglen a todo custo.

Assim, nos preparamos para o que estava por vir, sabendo que enfrentaríamos desafios ainda maiores e que nossos laços seriam postos à prova. Por mais sombrio que o futuro parecesse, tínhamos uns aos outros e a força para enfrentar o desconhecido. E assim, continuamos nossa luta contra as trevas, confiantes de que a luz prevaleceria no final.

Retomando o casamento

Foram muitas perdas importantes até aqui. Mas eu prometi para mim mesma e para meu mestre Vladimir que continuaria a viver e para isso, precisava começa de onde parei...

O sol brilhava intensamente, envolvendo a mansão Shadowthorn com um brilho dourado. Nossos convidados começaram a chegar, trazendo presentes mágicos e sorrisos de alegria. O salão de festas estava adornado com finos tecidos de seda, brilhantes cristais e flores encantadas que exalavam um perfume celestial.

Adelaide entrou no salão com um vestido esvoaçante e uma coroa de flores em seus cabelos prateados. Seus olhos brilhavam de orgulho enquanto caminhava em direção ao altar, onde Vladimir a esperava com um sorriso nostálgico.

Então chegou a minha vez. Eu, envolta em um vestido feito de finas camadas de seda e adornado com rendas de prata, caminhei ao lado de meu pai. Seu olhar estava cheio de ternura e gratidão, emocionado por ver sua filha encontrar o verdadeiro amor. As emoções transbordavam em mim, fazendo o mundo parecer mágico e cheio de promessas.

Diante de mim, Darius esperava, elegante e radiante. Seus olhos irisados brilhavam como dois faróis de luz, e seu sorriso era a mais doce melodia que acariciava minha alma. Os convidados seguravam a respiração enquanto as palavras do ritual eram proferidas, selando nosso compromisso para a eternidade.

Quando o celebrante anunciou que já podíamos nos beijar, a energia mágica se intensificou. Uma profusão de fogos de artifício coloridos encheu o ar, dançando ao nosso redor em um espetáculo de luz e magia. Todos os presentes aplaudiram e comemoraram o amor que ali florescia.

A noite continuou em festa, com banquetes incríveis, danças encantadoras e feitiços de entretenimento que encheram o ar com risos e admiração. Bruxos e criaturas mágicas se uniram em uma celebração única, deixando de lado quaisquer diferenças para envolver-se no amor e na felicidade que irradiava.

Quando chegou a hora de partir, nosso destino era um lugar mágico, reservado para os recém-casados desfrutarem das maravilhas e encantamentos do mundo. Montamos em uma carruagem decorada com flores e folhas vibrantes, e partimos para a nossa nova vida, onde aventuras e magias aguardavam.

Enququanto cavalgávamos juntos pela floresta encantada, Darius e eu nos entregamos a um momento de tranquilidade após nossa emocionante cerimônia de casamento. As folhas verdes cintilantes acima de nós pareciam sussurrar palavras de felicidade, enquanto os pássaros entoavam uma sinfonia de alegria ao nosso redor.

"Meu amor", disse Darius, suas palavras carregadas de emoção. "Não consigo acreditar que finalmente somos marido e mulher. Essa jornada que começamos desde o instante em que nossos olhares se cruzaram trouxe tanta magia e encanto à minha vida."

Sorri para ele, sentindo o calor de suas palavras preencher meu coração. "Eu também, meu amado Darius. A cada momento que compartilhamos, sinto-me mais fortalecida e abençoada. Você é meu porto seguro, a chama que alimenta minha alma. Juntos, temos o poder de enfrentar qualquer desafio e de criar um futuro onde o amor e a magia prevaleçam."

Darius tocou suavemente meu rosto, acariciando minha bochecha com ternura. "Sim, Elia, o nosso amor é um feitiço poderoso que nos liga de forma indissolúvel. E agora, como marido e mulher, estamos destinados a explorar as maravilhas do mundo mágico ao nosso redor.

Que aventuras nos aguardam, minha querida, onde juntos moldaremos a história com nosso amor e compaixão."

Enquanto nossos corações batiam em uníssono, cavalgamos em direção ao horizonte, sabendo que nossa jornada estava apenas começando. Entre risos e sussurros, promessas e sonhos compartilhados, deixamos para trás pegadas encantadas que ecoariam por toda a eternidade.

E assim, juntos, eu e Darius embarcamos em uma grande aventura, entrelaçando nossos destinos com a magia do amor. Estávamos prontos para enfrentar qualquer desafio, caminhar por terras desconhecidas e escrever nossa história com as tintas mais exuberantes da imaginação.

Segurando a mão de Darius com firmeza, eu sussurrei: "Juntos, meu amado, criaremos um mundo onde a magia florescerá em todas as suas formas, onde os sonhos se tornarão realidade e onde a beleza encantada nunca se extinguirá. Nossa união é um conto mágico que transcenderá o tempo e será lembrado para sempre."

Com um sorriso brilhante nos lábios, Darius respondeu: "Que assim seja, minha amada. Que nosso amor transborde e ilumine a escuridão, deixando um rastro de encantamento e admiração por onde passarmos. Nós, os protetores do reino mágico, seremos uma lenda viva, tecendo magia em cada esquina e transformando o banal em algo extraordinário."

E assim, ho aventureiros do amor e contadores de histórias mágicas, partimos juntos em busca de um destino radiante, onde nossos corações seriam a morada da força e da paixão. Nossa história, uma eterna fonte de inspiração, transcenderia os limites da imaginação, trazendo esperança e maravilha a todos que a ouvissem.

Lar, doce lar

À medida que deixávamos para trás os campos coloridos e adentrávamos o caminho sinuoso das montanhas, a excitação pulsava em meu peito. Darius, com um brilho nos olhos, anunciou que nossa lua de mel seria em uma cabana especial, nas margens de NightGlen. Era o refúgio que seu pai, Darkthorn, havia construído com tanto carinho.

Envolvidos pela névoa mágica da floresta, chegamos finalmente à pacífica clareira onde a cabana repousava, cercada pela majestosa grandiosidade das montanhas. As paredes de madeira pareciam pulsar com a energia das histórias e memórias que elas guardavam. A cabana era abraçada por belas flores silvestres, cujas pétalas dançavam suavemente sob a brisa.

Darius, ao abrir a porta da cabana, revelou um interior aconchegante, inundado pela suave luz do crepúsculo. Ali, a lareira esperava para aquecer nossos corpos enquanto o amor nos aqueceria a alma. Os móveis rústicos e detalhes mágicos revelavam a presença de Darkthorn, trazendo consigo a sensação de que a cabana nos acolheria como uma extensão da família que formávamos.

"Elia, minha querida", disse Darius, os olhos brilhando de felicidade. "Essa cabana tem sido um lugar de refúgio e aprendizado para minha família há anos. Agora, é nosso lar, um santuário onde compartilharemos nossas esperanças, sonhos e paixões. Podemos mergulhar em nossos treinamentos mágicos e fortalecer ainda mais o vínculo que nos une."

Emocionada, acariciei as paredes da cabana, sentindo uma magia ancestral fluir através de mim. "Darius, meu amor, esse lugar é um presente precioso. Com sua presença ao meu lado, essa cabana se torna um oásis de amor e magia. Aqui, seremos abraçados pela serenidade das montanhas e nutriremos nosso poder, lado a lado, como uma só alma."

Enquanto a noite caía sobre NightGlen, acendemos o fogo na lareira e nos acomodamos em uma manta fofa, abraçados sob o manto estrelado do céu. As chamas dançavam em sincronia com nossas emoções, trazendo uma sensação de conforto e proteção. Entre sorrisos e sussurros, compartilhamos nossas esperanças e sonhos para o futuro, envoltos pela energia daquele lugar especial.

Nos dias seguintes, aproveitamos cada instante explorando as trilhas mágicas que serpenteavam as montanhas, guiados pelas memórias do pai de Darius. Nosso lar era um epicentro de aprendizado e descobertas, onde a natureza nos oferecia suas lições mais profundas. Amadurecemos nosso poder e fortalecemos nosso vínculo, tornando-nos imbatíveis como um casal, como protetores e como amantes eternos.

Enquanto NightGlen sussurrava suas canções secretas no vento, estas seriam compartilhadas conosco, nutrindo nossa magia interior e selando nosso amor. Darius e eu, em nossa cabana encantada, encontramos nosso propósito no poder e na harmonia que criamos juntos. Durante aquela lua de mel nos abraçamos ao presente e sentimos as promessas futuras que floresciam em nosso íntimo.

E assim, em nossa cabana nas montanhas, transformamo-nos em guardiões das memórias e dos ensinamentos de Darkthorn. Um legado que traríamos conosco, espalhando amor e magia por onde quer que passássemos. E, naquele refúgio mágico, escrita estava uma nova página da nossa história, uma vida repleta de aventura, descobertas e amor inabalável.

Uma tarde ensolarada, enquanto nos recostávamos no aconchego da nossa cabana, Elia me olhou com uma expressão curiosa. A chama dançante na lareira refletia em seus olhos, acentuando seu brilho mágico. Eu sabia que algo lhe estava ocupando os pensamentos.

"Querido Darius", ela começou suavemente, acariciando minha mão com carinho. "Esses meses passados aqui em nossa cabana têm sido um verdadeiro paraíso para nós dois. Mas algo tem me intrigado... Gostaria de saber mais sobre a vida de seu pai, Darkthorn. Sinto que há uma história fascinante por trás daquele homem poderoso."

Sorri, compreendendo o desejo de Elia de conhecer aquele que me trouxera ao mundo. Levei sua mão aos meus lábios e, depois de um momento de reflexão, comecei a compartilhar suas origens.

"Meu amor, Darkthorn foi um homem lendário, tão enigmático quanto apaixonado pela magia. Ele dominou uma poderosa linhagem de magos conhecida como Shadowthorn. Embora sua família fosse envolta em mistério, soube através dos sussurros da floresta que ele foi o primeiro a conquistar um lugar de honra no Conselho dos Magos da Luz."

Os olhos de Elia se iluminaram com uma mistura de surpresa e fascínio. "O Conselho dos Magos da Luz... Ele deve ter sido um homem extraordinário! Mas por que há tão poucas informações sobre ele nos livros? Eu tentei descobrir mais na escola de magia de NightGlen, mas as páginas pareciam em branco quando se referiam a Darkthorn."

Abracei Elia com ternura, sabendo que aquela falta de registros a intrigava. "Meu amor, a história de Darkthorn é como um vento ancestral que traz segredos de tempos antigos. Ele preferiu uma existência discreta, gravando suas conquistas apenas nos corações daqueles a quem amava. Os registros nos livros podem ter sido apagados por escolha própria, para proteger aqueles que ele considerava mais importantes."

Enquanto falava, sentia uma pontada de orgulho e gratidão por ser filho daquele homem misterioso. Darkthorn legara-me não apenas seu nome, mas também uma linhagem poderosa que deveria ser honrada.

"Elia, minha doce companheira de jornada", prossegui. "Prometo que, à medida que desvendamos os segredos da nossa família e perpetuamos sua magia, juntos criaremos uma nova história. Uma história que será eternamente nossa, escrita nas estrelas e nas canções da floresta. Nossos nomes serão trazidos à vida não apenas pelos tomos de conhecimento, mas sim pelos corações que tocaremos e pela magia que compartilharemos."

Enquanto a noite caía sobre nossa cabana, mergulhamos em uma conversa longa e envolvente sobre as origens e os mistérios que envolviam a linhagem dos Shadowthorn. Juntos, exploramos os ensinamentos que me foram passados e os sonhos que compartilhávamos para o futuro. Sabíamos que nosso destino estava entrelaçado com a história da minha família, e prometemos escrever um capítulo vibrante que honraria aqueles que vieram antes de nós.

E assim, enquanto as estrelas cintilavam no céu noturno, avançávamos com coragem rumo ao desconhecido. Sabíamos que a chave para desvendar os segredos de Darkthorn era a nossa união, nascida do amor e do desejo de levar a magia adiante. Enquanto o fogo na lareira crepitava, o poder ancestral da nossa linhagem nos envolvia, guiando-nos em direção ao nosso destino - um legado de amor e sabedoria que escreveríamos juntos, em cada página de nossas vidas.

Missão Secreta

Após a intensa batalha contra as fúrias e a ameaça iminente do Devorador de Almas, uma calmaria se instalou em Nightglen. Os vilarejos se recuperavam dos ferimentos e das perdas, enquanto eu mesma em lua de mel com meu amado Darius, mergulhava profundamente em meus estudos e reflexões sobre como enfrentar a próxima fase da nossa luta contra as forças das sombras.

A vida de casada era bom demais ao lado de Darius e tinham afazeres para nós. Mas os dias também eram preenchidos com treinamento constante, não apenas para fortalecer nossas habilidades mágicas e de combate, mas também para aprimorar nossa estratégia. Juntos, trabalhávamos incansavelmente para criar defesas eficazes contra as trevas que ameaçavam nossa vila.

Durante esse período, Darius se destacou como um líder inspirador. Sua determinação, coragem e capacidade de unir as pessoas eram qualidades que eu admirava profundamente. Ele se tornou um símbolo de esperança para os moradores de Nightglen, motivando todos a permanecerem firmes em meio à adversidade.

Enquanto nos preparávamos para o próximo confronto com o Devorador de Almas, também buscávamos entender melhor seus motivos. Nossas pesquisas nos levaram a explorar os registros antigos da vila, procurando pistas sobre a origem desse ser sombrio e sua ligação comigo.

Foi então que descobrimos uma lenda ancestral que falava sobre um artefato poderoso, conhecido como "A Pedra da Alma". Segundo a lenda, a pedra continha um poder imensurável, capaz de controlar as almas e influenciar destinos. Acreditava-se que o Devorador de Almas buscava essa pedra para aumentar seu poder e disseminar o caos.

Decidimos que precisávamos encontrar a Pedra da Alma antes que o Devorador de Almas o fizesse. Guiados por antigas inscrições, partimos em uma jornada perigosa para encontrar o artefato antes que ele caísse em mãos erradas.

Nossa busca nos levou a lugares remotos e perigosos, enfrentando criaturas sombrias e desafios mágicos que testavam nossas habilidades e determinação. Mas com a coragem e a união do nosso grupo, superamos cada obstáculo que encontramos.

Finalmente, após meses de busca, encontramos a Pedra da Alma escondida em uma caverna profunda, protegida por armadilhas mágicas. Ao chegar ao artefato, senti uma energia sinistra emanando dele, uma sensação de que estávamos prestes a desencadear um poder que não compreendíamos completamente.

No entanto, nossa missão estava longe de terminar. Agora que tínhamos a Pedra da Alma em nosso poder, enfrentaríamos uma escolha difícil: destruí-la para evitar que caísse nas mãos do Devorador de Almas ou encontrar uma maneira de usá-la contra ele.

As consequências de nossas ações teriam um impacto profundo não apenas em Nightglen, mas também no equilíbrio entre a luz e as trevas. Em meio às incertezas do futuro, uma coisa era clara: a calmaria que vivíamos era apenas o olho da tempestade. A verdadeira batalha ainda estava por vir, e estávamos prontos para enfrentá-la, armados com coragem, união e a força dos laços que havíamos construído.

Continuamos nossa jornada, cientes de que a luta entre a luz e as trevas estava longe de chegar ao fim. No entanto, estávamos determinados a lutar pela nossa vila, pelos nossos entes queridos e pelo mundo que amávamos. E assim, nos preparamos para o confronto final contra o Devorador de Almas, confiantes de que nossa determinação e esperança nos guiariam através da escuridão em direção à luz.

Enquanto segurávamos a Pedra da Alma em nossas mãos, a energia sombria emanando dela parecia pulsar em sintonia com os nossos corações acelerados. Sabíamos que aquela decisão seria crucial para o destino de Nightglen e de todos que amávamos.

Nosso grupo, agora fortalecido por laços mais profundos e uma confiança inabalável, reuniu-se em torno da Pedra da Alma na câmara subterrânea. Darius, com sua coragem e liderança, se aproximou dela e olhou para cada um de nós com determinação.

— Esta é a escolha mais difícil que já enfrentamos. O que fizermos a seguir moldará o destino não apenas de Nightglen, mas do mundo inteiro. Nossos inimigos são poderosos, mas nossa união e convicção também são. Juntos, decidiremos o que é certo.

As palavras de Darius ecoaram em nossas mentes enquanto enfrentávamos a magnitude da nossa decisão. A Pedra da Alma, que representava tanto poder e perigo, exigia uma escolha que desafiaria nossos princípios mais profundos.

Orion, com seus olhos claros cheios de determinação, quebrou o silêncio:

— Não podemos permitir que o Devorador de Almas use isso para espalhar mais escuridão. Devemos destruí-la.

Adelaide assentiu com seriedade, sua expressão refletindo a determinação de Orion:

— Não podemos arriscar que esse poder caia em mãos erradas. A destruição é a única opção.

As palavras deles ecoaram minhas próprias preocupações. Enquanto olhávamos para a Pedra da Alma, senti a presença de Vladimir ao meu lado, como um sussurro de sabedoria em meu coração.

— Devemos pensar não apenas no presente, mas nas futuras gerações. Se permitirmos que esse poder seja usado pelo mal, estaremos falhando com aqueles que amamos e com nosso dever de proteger a luz.

A determinação em suas palavras se misturou com a memória de Vladimir, um homem que deu sua vida pela nossa causa. A decisão estava tomada.

Com um olhar coletivo, nossas mãos se uniram e canalizamos nossas energias para a Pedra da Alma. Enquanto o brilho sombrio aumentava, sentimos a conexão com as almas que vieram antes de nós, os guardiões de Nightglen que lutaram contra as trevas.

Com um último esforço conjunto, a Pedra da Alma se partiu, dissipando-se em uma explosão de luz. Uma sensação de alívio e esperança se espalhou entre nós, como se tivéssemos tomado a decisão certa.

Sabíamos que a batalha estava longe de terminar, mas tínhamos que continuar acreditando na força do nosso propósito e na luz que tínhamos dentro de nós. Com a Pedra da Alma destruída, o Devorador de Almas estava enfraquecido, incapaz de se fortalecer com seu poder.

Nossos olhares se encontraram, e um sentimento de unidade e resiliência nos uniu ainda mais. As palavras de Vladimir ecoavam em nossas mentes: "A jornada é longa, e a luta é árdua, mas a luz sempre prevalecerá sobre as trevas."

Com corações firmes e determinados, estávamos prontos para enfrentar o próximo desafio. A batalha final contra o Devorador de Almas se aproximava, e a esperança brilhava como um farol em nossa jornada.

Encontro com inimigo

Após a destruição da Pedra das Almas, Nightglen mergulhou em uma calmaria novamente. Embora a população estivesse aliviada, eu permanecia agitada, consciente de que o Devorador de Almas ainda estava à solta, espreitando nas sombras.

Em breve, sinais de uma nova ameaça começaram a surgir. Relatos de criaturas estranhas vagando pelas redondezas, suas feridas exalando uma aura sombria, indicavam que algo mais sinistro estava se aproximando.

Numa noite silenciosa, enquanto estudava sozinha na biblioteca de Vladimir, ouvi um ruído vindo do andar de baixo. Segurei firme meu cajado e desci cautelosamente.

No entanto, o que encontrei na sala abaixo me encheu de apreensão. Uma figura alta e encapuzada vasculhava os armários de relíquias de Vladimir, como se estivesse em busca de algo.

— Quem é você? O que faz aqui? - minha voz soou firme, embora meu coração batesse acelerado. A figura lentamente se voltou para mim, dois olhos rubros e cintilantes encarando-me das profundezas do capuz. Um arrepio percorreu minha espinha. Acho que já tinha vido esse ser nos meus sonhos conversando com Darius...

A voz que respondeu soou cavernosa e sombria:

— Estou apenas recuperando o que me pertence por direito, jovem humana. Você não entenderia o que está acontecendo em NightGlen. Os jogos dimensionais entre entidades e titãs começaram!

Minha determinação não vacilou:

— Não permitirei que roube nada desta casa! Sugiro que parta imediatamente, desconhecido!

Uma risada sinistra escapou dos lábios da figura, ecoando pelas paredes como um sussurro de trevas.

— Que guerreira corajosa você é... mas receio que ainda não esteja preparada para me enfrentar usando apenas um cajado. Em breve, nossos caminhos se cruzarão novamente, nos jogos dimensionais.

Sem que eu pudesse reagir, ele se desfez em uma nuvem de fumaça negra, dissipando-se na noite. Avisar os outros sobre o intruso estranho não tardou, e o alarme se espalhou.

— Pode ser um servo do Devorador de Almas! - exclamou Orion, com seus olhos fixos no horizonte.

No entanto, minhas suspeitas eram diferentes:

— Não... ele era diferente. Mais antigo e poderoso. Uma ameaça ainda mais terrível se aproxima.

Os dias que se seguiram foram consumidos por preparativos. Fortalecemos nossos feitiços de proteção e mergulhamos em pesquisas incansáveis para entender a ameaça que se aproximava. Foi quando algo nas antigas anotações de Vladimir capturou minha atenção.

— Encontrei algo nestes escritos antigos... Eles falam sobre o Devorador de Almas. Acredito que ele mesmo invadiu nossa casa naquela noite.

Adelaide compartilhou informações pesadas:

— Há séculos, o mago Altas desafiou o Devorador de Almas, aprisionando-o em outro plano por meio de um artefato poderoso. Agora, ele retornou, possivelmente atrás do medalhão que sua mãe, Isadora, lhe entregou antes de você vir para Nightglen... ele busca vingança.

Um calafrio percorreu minha espinha ao perceber que eu inadvertidamente trouxera essa terrível ameaça para Nightglen.

Mas as origens não importavam, enfrentaríamos o inimigo lado a lado. Dessa vez, estávamos preparados para a batalha iminente.

A verdade sobre o Devorador e o medalhão de Altas me atingiu como um soco no estômago.

— Então, trouxe a destruição para Nightglen... Como pude ser tão imprudente?

Adelaide tentou acalmar minha culpa, mas a dor da situação era inegável. Era hora de consertar o que havíamos inadvertidamente desencadeado.

Dias angustiantes se seguiram, repletos de discussões e pesquisas para encontrar uma maneira de deter o Devorador. Finalmente, Adelaide propôs uma ideia arriscada, mas aparentemente era nossa única esperança.

— Devemos devolver o medalhão ao lugar onde Altas aprisionou o Devorador originalmente. Uma fenda nas profundezas proibidas da Caverna das Almas Perdidas nos levará ao mundo invertido. Lá, só podemos selar o Devorador novamente.

Minha ansiedade cresceu:

— Onde fica esse lugar?

Adelaide pareceu ainda mais sombria:

— Nas profundezas assombradas da Caverna das Almas Perdidas, existe uma fenda que leva ao mundo invertido. Ninguém que entrou lá retornou da mesma maneira. Mas não temos escolha.

Embora a notícia fosse sombria, não podíamos recuar. Partiríamos para a caverna maldita e enfrentaríamos a incerteza, atraindo o Devorador de Almas para o mundo invertido e selando-o na prisão.

Na noite anterior à jornada, um pesadelo sinistro me envolveu, uma voz cavernosa chamando meu nome. Acordei tremendo e suando.

Darius me envolveu em um abraço protetor, tentando acalmar minha agitação. Eu sabia que ele também estava temeroso, mas sua presença me trouxe algum conforto.

— Vai ficar tudo bem... estamos juntos. - tentei me convencer das palavras.

A manhã chegou, nublada e pesada. Partimos sob o véu da névoa, unidos contra o mal que nos esperava.

Diante da entrada escura da Caverna das Almas Perdidas, encaramos o abismo. Seu interior engolia a luz, uma negritude densa e opressiva. Nossas varinhas iluminavam o caminho estreito e úmido que adentrávamos. Sussurros e gemidos ecoavam das profundezas, alimentando nosso temor.

À medida que avançávamos, o medalhão em meu pescoço começou a brilhar intensamente, sua luz refletindo nas paredes rochosas. Estávamos nos aproximando.

Finalmente, atravessamos a fenda espaço-tempo, emergindo no mundo invertido.

O ambiente parecia familiar, como uma cópia sombria de Nightglen. Ruas conhecidas, casas semelhantes, mas mergulhadas em uma atmosfera invertida e sinistra.

A casa de meu pai apareceu à distância, parecendo quase idêntica à de Nightglen. Não hesitei e entrei, subindo as escadas com cautela para evitar armadilhas. Quando entrei no quarto que correspondia ao meu no mundo real...

Uma risada profunda e ameaçadora ecoou, cortando o silêncio. O Devorador de Almas emergiu das sombras, seus olhos vermelhos cintilando na escuridão como brasas incandescentes.

— Tolos... entreguem o que é meu por direito... e talvez eu poupe suas vidas.

Minha resposta foi instantânea e determinada:

— Jamais!

O Devorador avançou com sua aura maligna. Eu reagi com todo o poder de meus feitiços luminosos, mas estava claro que enfrentava um inimigo de força antiquíssima e poder imensurável.

Quando minhas forças já fraquejavam, e eu estava à beira de ser consumida pelas trevas, o Devorador preparou seu golpe final contra mim. Suas garras envenenadas miraram meu peito, prestes a me dilacerar. Foi nesse instante que Darius se atirou à minha frente, tomando as garras envenenadas em seu ombro.

Em um último esforço, reuni todas as energias que me restavam e canalizei o poder do medalhão de Altas. A energia brilhou intensamente, banindo o Devorador de Almas de volta para as profundezas das trevas de onde emergira.

Nos encontramos de volta à superfície, a salvo do confronto, mas o ferimento de Darius permanecia aberto, exalando uma aura sombria. Ele havia sido amaldiçoado pela garra envenenada do Devorador naquela caverna condenada.

O veneno maligno corria em suas veias, mas Darius escondeu essa verdade de todos, inclusive de mim. Ele conhecia o peso da maldição que o corroía por dentro, mas seu amor por mim o levou a suportar o sofrimento sozinho, preferindo esse fardo a me causar mais dor.

A maldição o consumia como um fogo devorador, corroendo seu ser. No entanto, Darius optou por enfrentar essa batalha interna em silêncio, pois não suportaria me perder, especialmente após finalmente nos livrarmos da ameaça do Devorador. Ele estava disposto a enfrentar a escuridão que o consumia, mesmo que isso o levasse à sua própria ruína.

O destino incerto se desenrolava à nossa frente, uma jornada de coragem e sacrifício. E assim, após enfrentar o Devorador de Almas, nosso amor e determinação seriam postos à prova, enquanto Darius enfrentava uma batalha interna que poderia selar seu destino para sempre.

O Despertar do Mal

Nas semanas seguintes, Darius lutou bravamente contra a maldição do Devorador, sentindo a escuridão corroer seu espírito. Cada dia era uma batalha perdida contra o mal que crescia dentro de mim.

Até que não conseguiu mais suportar. Em uma noite de lua cheia, cega pela dor e desespero, fugiu para a floresta sombria. As árvores altas pareciam testemunhas silenciosas de minha agonia.

Ali, onde as sombras se enlaçavam com os seus pensamentos mais sombrios, ergueu suas mãos para o céu, clamando pelos poderes das trevas que agora me habitavam. Trovões ecoaram como um coro de dor, e a chuva começou a cair como lágrimas do céu, ecoando o caos que tomava conta de mim.

— Se esse é o meu destino, então que assim seja! Abraço o poder que tentei negar por tanto tempo!

Enquanto isso, de volta à vila, acordei sobressaltada, uma angústia profunda apertando meu peito. Uma conexão invisível parecia puxar-me em sua direção, como se eu soubesse, de alguma forma, o que estava acontecendo.

Saí correndo, os pingos de chuva se misturando às lágrimas que eu sabia que derramava por ele. Enquanto me aproximava da clareira, a luminosidade sombria que o cercava contrastava com a noite escura, como uma premonição do que estava por vir.

Ao chegar à clareira, deparei-me com o olhar desolado dele, um reflexo de sua própria escuridão. Sussurrei seu nome, minha voz tremendo, e as lágrimas que escorriam por meu rosto eram como um espelho das suas próprias.

— Darius... o que fez? - minha voz trêmula, minhas palavras um eco de minha incredulidade.

— Finalmente abracei meu verdadeiro destino, Elia! - ele exclamou, uma risada amarga escapando de seus lábios. - O destino de um servo das trevas!

Lágrimas se misturaram com a chuva enquanto o encarava, sabendo que a escuridão havia se tornado sua companheira inseparável.

— Isso não é você, Darius! Lute contra essa escuridão antes que ela te consuma!

Uma careta de dor se formou em seu rosto, uma luta desesperada acontecendo dentro dele. Mas a escuridão prevaleceu, transformando sua expressão em um sorriso sinistro.

— Tarde demais, Elia... o Darius que você conheceu está morto! Resta apenas Lorde Daarzak!

Ele lançou uma rajada de energia sombria em minha direção, e eu desviei por um triz.

— Não faça isso... ainda há luz dentro de você!

Ignorei suas palavras, consumida por minha própria raiva e amargura. Nossas magias se chocaram com as de Orion e os outros, uma batalha que eu sabia que não poderia vencer.

No meio da troca de feitiços e relâmpagos, o impacto final o atingiu. Ele caiu de joelhos, o último suspiro de vida escapando de seu corpo.

— Me... perdoe... Elia... - ele sussurrou, suas palavras carregadas de pesar e remorso, antes que a maldição finalmente o engolisse por completo.

Eu me aproximei, segurando seu corpo sem vida nos braços trêmulos. Suas palavras foram sua despedida, um testemunho de um amor que ele não conseguiu proteger. A chuva continuava a cair, encharcando-nos e lavando a tristeza que preenchia o ar.

— Não... Darius... por favor... não me deixe! - minhas súplicas desesperadas ecoaram no ar, mas ele estava além de qualquer resposta.

Era tarde demais. Ele se fora, levando consigo uma parte de mim que nunca poderia ser recuperada. Tentei sussurrar um pedido de perdão, uma promessa quebrada, enquanto a escuridão o envolvia por completo.

Naquele momento sombrio, a única coisa que restava era o eco de uma história interrompida, um amor que não teve a chance de florescer, e o vazio da saudade eterna.

"Me chamo Darius e Eu jamais parei para refletir nas coisas que fiz ou como seria a minha vida e morte se eu fosse uma pessoa normal igual a tantas outras!

Não! Realmente, eu nunca parei até conhecer o medo de perder um grande amor... Eu fiz muitos planos para nós, só que meu destino foi traçado desde sempre.

A maldição que habita meu sangue é como veneno lentamente me consumindo. Desde pequena, convivo com sussurros em minha mente, tentando me corromper.

Por anos resisti bravamente, motivada pelo amor e apoio dele, minha doce salvação. Porém, no fim, acho que a escuridão prevaleceu, transformando-o no terrível monstro que partiu meu coração.

Ele cedeu às sombras e machucou todos que o amavam, cego pela ambição desmedida. Fui tola em acreditar que poderia ajudá-lo a desafiar seu destino maldito, mas o bem e o mal jogaram com ele um jogo perigoso.

Agora, derrotado, todos os momentos de luz parecem distantes enquanto a escuridão finalmente o engole, lentamente, como se gostasse de degustar sua vida.

Ainda assim, há esperança. Ele me deixou uma nova vida gerada de amor e pureza apesar de suas falhas. Ela será forte e sentirá o bem, disso não tenho dúvidas. Assim, talvez a vida dele não tenha sido."

Uma Luz no Horizonte

Após a morte de Darius, me afastei de todos em Nightglen, vivendo minha dor em solidão. A vida perdeu a cor sem meu amor, e pouco me importava o que acontecia ao meu redor.

Até que, meses depois, descobri estar grávida. Lágrimas de felicidade se misturaram às de tristeza. Uma nova vida fruto de nosso amor crescia dentro de mim.

Porém, o contentamento logo deu lugar ao temor. E se a criança tivesse herdado a maldição das trevas que tomou Darius? As palavras finais de Lorde Damus ecoaram em minha mente:

"A semente das Trevas foi plantada..."

Levei as mãos ao ventre com uma súplica muda. Não, não poderia perder essa última conexão com meu amado para as sombras!

Busquei Adelaide, contando sobre a gravidez. Seus olhos demonstravam que compartilhava de meus temores.

— Se de fato a criança herdou algum traço daquele mal, precisaremos agir para salvá-la. - disse Adelaide.

Ao ver a determinação de Adelaide, senti uma centelha de esperança. Meu filho teria uma chance, cercado por tanto amor e poder.

Juntas, iríamos garantir que a semente das Trevas jamais frutificasse. Esta nova vida seria a prova de que o bem pode sempre florescer até da escuridão.

E assim, amparada por minha nova família, aguardei esperançosa pelo futuro que crescia em meu ventre.

Conforme a gravidez avançava, eu me debatia entre sentimentos contraditórios. A felicidade pela vida que carregava em meu ventre e o medo de que pudesse herdar algum traço nefasto de seu pai.

Adelaide me apoiava incondicionalmente. Ela parecia otimista de que, com os devidos cuidados, poderíamos garantir um nascimento normal e saudável.

Orion também esteve ao meu lado, apesar de nossa difícil história. Ele compreendia bem a dor da escuridão, e faria tudo para impedir que outra vida se perdesse nas trevas.

Até Gareth, normalmente tão cético, demonstrou entusiasmo com a chegada de seu neto. Ele encomendou brinquedos, roupinhas e planejava todos os detalhes para receber o bebê.

Por fim, depois do que pareceu uma eternidade, veio o dia do parto. Adelaide e sua equipe de curandeiras fizeram o possível para que tudo transcorresse bem.

Depois de horas excruciantes, ouvi o choro forte e saudável do meu filho. Elius, como decidimos chamá-lo. Assim que o vi, soube que tudo daria certo.

Ele tinha os olhos cor de mel e os cachos negros do pai, mas nenhum sinal de trevas o marcava. Apesar da origem sombria, Elius nascera puro e limpo.

A semente das Trevas não frutificara. O amor triunfara sobre o ódio. E eu finalmente enxergava luz no horizonte outra vez.

Retorno à Grammaria

Criei meu filho Elius com todo amor em Nightglen nos meses seguintes. Porém, um pensamento não me deixava em paz. O Conselho não via nossa história com bons olhos.

Certo dia, ouvi membros do Conselho comentando sobre vigiar de perto a criança, para "garantir que não representasse uma ameaça futura". Meu sangue gelou.

Naquela noite, conversei séria com Adelaide e Orion.

— Não posso deixar que façam nada com meu filho. Preciso protegê-lo, longe daqui.

Eles lamentaram, mas entenderam minha decisão. No dia seguinte, faríamos as malas para partir rumo à minha terra natal, Grammaria. Lá estaríamos a salvo.

Orion se ofereceu para nos escoltar na viagem e garantir nossa segurança. Meu pai Gareth também viria, para não nos separarmos novamente.

Partimos sob o olhar reprovador do Conselho. Mas continuei de cabeça erguida. Elius merecia uma vida plena e feliz, sem o peso do passado dos pais. Isso eu lhe proporcionaria.

A viagem foi tensa e cansativa. Orion se mantinha alerta, temendo uma emboscada a qualquer momento. Por sorte, chegamos sem incidentes à minha velha vila natal e logo minha mãe nos recebeu alegremente!

Lá, sob o sol brilhante e o céu azul, criei Elius em paz anos a fio. Rodeada por amor, a sombra do passado logo se dissipou, restando apenas as boas lembranças.

E, vendo meu filho crescer forte, gentil e cheio de luz, soube que fizera a escolha certa. Por maiores que fossem as trevas, a esperança sempre renasceria para iluminar novos caminhos.

Alguns anos depois...

Era uma manhã ensolarada em Grammaria quando uma carta inesperada chegou. Reconheci a caligrafia caprichosa de minha mãe Isadora.

Com dedos trêmulos, abri o envelope e comecei a ler. À medida que as palavras revelavam seu conteúdo, lágrimas de emoção brotaram em meus olhos.

Depois de todos aqueles anos separados, meus pais haviam reencontrado o amor que os uniu um dia. Isadora escrevia para contar que ela e Gareth decidiram dar uma nova chance à relação.

Mal podia acreditar! Depois de tanto sofrimento, finalmente uma notícia feliz!

Os dois haviam amadurecido e desejavam sinceramente recomeçar, desta vez unidos por um amor mais profundo e sábio. E desejavam celebrar essa união renovada aqui mesmo em Grammaria, cercados pelos que amavam.

Elius veio correndo saber o motivo das lágrimas, e contamos a novidade. Logo estávamos os dois pulando e rindo, imersos em felicidade.

No dia desejado, uma grande festa foi organizada na praia ao pôr do sol. Troquei meu vestido preto por um azul cheio de flores, simbolizando dias mais leves.

Quando Isadora surgiu de branco, de braços dados com Gareth, mal pude conter as lágrimas. Seu sorriso era o mais radiante que já vi.

Durante a cerimônia simples mas emocionante, olhei em volta e vi o quanto aquela nova união curava as feridas de tantos ali presentes.

O amor sempre encontra um jeito, mesmo quando parece extinto. E naquele entardecer à beira-mar, renascia a esperança em nossos corações.

Durante a festa de casamento, me peguei relembrando todos os altos e baixos até aquele momento de alegria. Meu olhar se perdia no horizonte, onde o sol se punha no mar.

Quantas lágrimas haviam sido derramadas, quantas provações enfrentadas... Mas apesar de tudo, ainda havia lugar para recomeços e felicidade.

Não pude deixar de pensar em Darius e como gostaria que ele estivesse ali para ver esse momento. A dor de sua perda ainda habitava meu peito. Mas agora tinha um tom agridoce e nostálgico.

Senti uma mão reconfortante em meu ombro. Orion me fitava com um sorriso gentil, tão diferente de seus modos sombrios no passado.

— Não fique triste numa ocasião como essa. Sei que ele também ficaria feliz por você.

Orion estendeu a mão num convite silencioso. Com um aceno grato, aceitei. Dançamos ao som da música suave na areia fofa, sob a luz do crepúsculo.

A brisa do mar secava as lágrimas teimosas que escorriam por minha face. Mas Orion apenas me guiou com calma pela dança, transmitindo uma serenidade muda.

Naquele momento, soube que dias melhores certamente viriam. A partir das cinzas do sofrimento, floresciam novas esperanças. Era só uma questão de tempo.

Enquanto dançávamos, algo chamou minha atenção. Elius nos observava ao longe, e havia algo estranho em seu olhar, quase como... um sentimento de desaprovação.

De repente, uma forte ventania varreu a festa, derrubando mesa, cadeiras, deixando todos em pânico. Foi quando vi os olhos do meu filho faiscarem em um tom avermelhado, apenas por um instante.

Meu coração gelou. Apesar de todo cuidado para criá-lo longe daquela sombra, os poderes de Darius corriam fortes nas veias do menino. E ao me vê dançando com outro que não seja o seu pai, despertara algo obscuro dentro dele.

Rapidamente me afastei de Orion e fui até Elius, que parecia assustado e confuso como os demais. Acariciei seu rosto, tentando acalmá-lo, embora minha mente fervilhasse de preocupações.

— Foi só uma inesperada ventania, tudo bem. Vamos arrumar as coisas e terminar a festa! - exclamei alto para os convidados.

Lancei um rápido olhar para Gareth e Isadora. Eles não precisavam lidar com esse fardo, não agora. Resolveria isso sozinha... de algum jeito.

Enquanto ajudava a reerguer tudo, Elius veio pedir desculpas. Fingi que nada acontecera, embora meu coração doesse.

A semente das trevas não fora totalmente extinta. Precisaria redobrar meus cuidados e treino com Elius. Jamais permitiria que as sombras o consumissem como fizeram com seu pai.

Revelações perigosas

Os anos se passaram tranquilos em Grammaria. Criei Elius com todo cuidado e carinho, ocultando dele seu lado sombrio. Orion foi um tio atencioso, ajudando-me a vigiá-lo.

Conforme Elius crescia, contava histórias sobre meus feitos, mas omitia detalhes sobre seu pai. O menino tinha um bom coração, e eu queria preservar isso.

Até que, certo dia, confrontou-me:

— Mãe, por que tenho que ser sempre vigiado? Quero sair sozinho, conhecer outros jovens bruxos na escola de magia! Estou pronto!

Suspirei. Não podia mais adiar a verdade. Fiz sinal para que se sentasse ao meu lado.

— Meu filho... é hora de saber sobre seu pai, e o motivo de tantos cuidados.

Então contei tudo. A maldição de Darius, nosso amor, sua queda para as trevas... e o receio de que um dia o mesmo acontecesse a ele.

Elius ouviu tudo em choque. Vi a dor em seus olhos ao saber da história sombria que o originara.

— Então... sou um monstro? Destinado às trevas como meu pai?

Abracei-o com força.

— Claro que não! Você é livre para traçar seu próprio caminho na luz! Mas precisamos ter cautela... eu só quero proteger você.

Depois de um tempo em silêncio, Elius me encarou decidido:

— Juntos venceremos esse legado sombrio. Trarei honra ao nome de meu pai, não repetindo seus erros. Eu prometo!

Sorri com lágrimas nos olhos. Meu menino crescera forte e justo. A escuridão em seu sangue não o definia. E eu estaria ali para guiá-lo rumo à luz.

Após nossa conversa sincera, decidi que Elius estava pronto para ir estudar na Escola de Magia em Nightglen. Orion continuaria de olho nele, por garantia.

Elius mal podia conter a felicidade quando soube da notícia. Finalmente conheceria outros jovens bruxos e aprenderia feitiços além do básico que lhe ensinei.

Levei-o pessoalmente no primeiro dia de aula. Ver aqueles corredores e salas onde eu mesma estudei era nostálgico. Elius mal cabia em si de curiosidade e entusiasmo.

— Comporte-se direitinho, estude bastante e não hesite em nos visitar sempre que quiser! - recomendei, com lágrimas nos olhos, enquanto o deixava na porta da sala.

— Pode deixar, mãe! Vou fazer você e o pai se orgulharem! - respondeu ele me abraçando apertado.

Enquanto o via sumir por entre os outros alunos, senti uma mistura de apreensão e esperança. Meu menino estava crescido. E eu fizera o possível para prepará-lo bem.

Mesmo longe, continuaria velando por ele. Mas agora Elius precisava trilhar seu próprio caminho e provar seu valor sozinho. E eu confiava em seu coração justo e na luz que o guiava.

As trevas em seu sangue não eram donas de seu destino, se ele assim escolhesse. E eu estaria ali para lhe estender a mão se precisasse.

A Promessa

As escolhas e o destino trágico de Darius trouxeram angústia e sofrimento a mim e todos em NightGlen. Mas agora, a história assume um novo rumo, um vislumbre de esperança em meio à escuridão.

Relembrar aquele momento de dor em que ele me deixou arrasada, não é fácil... Com lágrimas nos olhos, segurei a dor dentro do peito - mas uma dádiva que Darius deixou para trás, Elius é um lembrete de que, apesar de suas falhas, ele era capaz de trazer luz ao mundo.

Prometo a mim mesma que Elius não será manchado pela maldição que acometeu seu pai, que seu destino será moldado pelo amor e coragem que compartilhamos.

Enquanto entrego meu último adeus ao homem que um dia foi o portador de meu coração, planto uma semente de esperança no solo do meu futuro. Darius partiu, mas ele deixou um legado para mim, e é meu dever proteger e nutrir esse legado com todo o meu ser.

Olho para o céu, envolvida pela melodia suave da chuva que continua a cair, e sinto como se as próprias estrelas derramassem lágrimas silenciosas pela perda de um herói caído. Seus atos podem ter sido sombrios, mas a lembrança de seu amor e redenção permanecerá em meu coração para sempre.

Segurando firmemente a dor dentro de mim, sinto uma chama de determinação queimando em minha alma. Vou proteger nosso filho, alimentando-o com a bondade e compaixão que Darius foi incapaz de conhecer. Ele será um farol de luz, uma esperança em meio às trevas, e juntos enfrentaremos os desafios que o destino nos reserva.

Enquanto a chuva lava minha tristeza, faço um juramento solene a mim mesma e a Darius. Eu não permitirei que sua morte seja em vão. Serei forte por ele, e honrarei sua memória construindo um futuro cheio de amor e magia que ele tanto almejou.

A história de Darius pode ter um fim trágico, mas a história de Elius ainda está sendo escrita. O caminho será árduo e tortuoso, mas com o amor e coragem como nossas armas, seremos capazes de criar um conto de felicidade e esperança, que transcenderá as sombras e trará um novo significado ao nosso mundo encantado.

E assim, enquanto as estrelas brilham no céu encharcado de lágrimas, eu sigo em frente, honrando a memória de Darius e carregando seu amor comigo, enquanto embarcamos em uma jornada de aventura, superação e a magia que permeia nossas vidas.

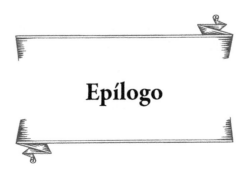

Epílogo

Meu nome é Elius, e esta é minha história. Desde cedo, fui criado sob a proteção firme de minha mãe, Elia, e de meu tio Orion. Eles sempre me mantiveram afastado do legado sombrio que pairava sobre nossa família - o legado do meu falecido pai, Lorde Daarzak.

Por muito tempo, não entendia o motivo de tanto sigilo e cautela. Mas finalmente, minha mãe revelou a verdade que havia sido ocultada de mim: eu carregava em minhas veias o sangue amaldiçoado das trevas, herdado de meu pai.

Um calafrio percorreu minha espinha quando descobri esse fardo que carregava. Seria meu destino, então, seguir pelos mesmos passos obscuros de meu pai? Eu me recusei a acreditar nisso. Eu faria meu próprio destino.

Decidi que iria para a Escola de Magia de Nightglen, determinado a trilhar um caminho de luz e bondade. Logo encontrei companheiros de jornada, como o descontraído Lucas e a sagaz Sophia. Eles me apoiaram e acreditaram na minha capacidade de superar a sombra que pairava sobre meu nome.

Claro, também encontrei obstáculos pelo caminho. Marius, um colega cheio de arrogância, aproveitava todas as oportunidades para me provocar, sempre lembrando da fama sombria de minha linhagem. Mas eu não me deixava abater por suas provocações. Eu era mais forte do que isso.

À medida que as aulas avançavam, descobri que possuía um talento inato para os feitiços. Meu controle ainda precisava ser aprimorado, mas eu me recusava a desistir. Eu estava determinado a usar meus poderes de forma responsável e para o bem de todos.

Em alguns momentos, a escuridão tentava me seduzir. Mas eu resistia, com todas as forças do meu ser. Eu sabia que a pureza e a sabedoria de minha mãe e meu tio me guiavam nesse caminho tortuoso, mesmo que distantes fisicamente. Eu não os decepcionaria.

Eu sou Eluis, e sou o dono do meu próprio destino. Recuso-me a ser definido por um legado sombrio. Com cada passo que dou, ilumino meu próprio caminho em direção à grandeza. Juro fazer do meu destino uma história de coragem, justiça e redenção.

Enquanto eu olho para as estrelas brilhando no céu noturno, sinto uma chama ardente dentro de mim. Minha determinação queima como um sol radiante, banindo as sombras que tentam me envolver. Eu estou destinado a ser um herói de coração luminoso.

Assim, minha jornada continua. Com determinação e a verdade em meu coração, avanço rumo ao desconhecido, pronto para enfrentar desafios e conquistar vitórias. Meu destino será moldado por minha própria vontade, guiado pela luz que carrego dentro de mim.

Eu sou Elius, e esta é minha história. E, com cada passo que dou, eu provo que ninguém tem o direito de dizer o que devo fazer. Eu sou o autor da minha própria narrativa, e ela será grandiosa e cheia de luz.

Glossário de famílias de NightGlen

Glossário das principais famílias na história:

Os Shadowthorns de NightGlen;

1. M. Shadowthorn: O fundador do sobrenome Shadowthorn, que carrega consigo o legado da linhagem mágica e a responsabilidade de proteger a magia contra as trevas.

2. Adelaide: A matriarca da família Shadowthorn, uma bruxa poderosa e sábia, mãe das crianças da família.

3. Darkthorn: O patriarca da família Shadowthorn, um feiticeiro habilidoso e protetor, pai das crianças da família.

4. Darius: O filho primogênito de Adelaide e Darkthorn, cuja herança mágica e destino estão entrelaçados com a luta contra as trevas.

5. Elia: Membro da família Shadowthorn por meio de seu casamento com Darius, trazendo consigo suas próprias habilidades mágicas e sabedoria.

6. Orion: O filho mais novo de Adelaide e Darkthorn, dotado de seus próprios poderes mágicos e uma perspectiva única.

7. Marcus Vladimir: Irmão de Adelaide, desempenhando um papel importante na família Shadowthorn com sua experiência e sabedoria.

8. Julia: Filha primogênita de Vladimir e Veronica, uma bruxa jovem e aventureira, cujo desejo de explorar alquimia e aprender nova magia adiciona um elemento fascinante à história dos Shadowthorn.

9. Elius: Filho de Elia e Darius, um jovem descendente direto da linhagem Shadowthorn e dos Gareth, cujo destino e poderes mágicos estão entrelaçados com a luta contra as trevas.

Os Gareth de Grammaria;

1. Bryan Gareth: Filho do irmão mais velho de Claudius Gareth e um feiticeiro renomado da família Gareth, conhecido por suas habilidades mágicas excepcionais e sabedoria. Bryan é um líder respeitado tanto nas comunidades mágicas de NightGlen quanto de Grammaria.

2. Isadora Gareth: Esposa de Joe Gareth e uma poderosa bruxa da natureza em seu próprio direito. Isadora é reconhecida por sua conexão com a natureza e sua habilidade de manipular os elementos em seus feitiços.

3. Elia Gareth: Filha de Joe Gareth e Isadora Gareth, uma bruxa habilidosa que herdou os talentos mágicos de seus pais.

4. Eleonora Gareth: Irmã de Joe Gareth e tia de Elia. Eleonora é uma feiticeira experiente, conhecida por suas habilidades em magia ritualística e suas visões proféticas.

5. D. Claudius Gareth: Pai de Joe Gareth e Eleonora Gareth, e avô de Elia. Claudius foi um feiticeiro poderoso e defensor da justiça. Sua sabedoria e liderança moldaram a família Gareth ao longo das gerações.

Espero que este glossário forneça uma visão mais detalhada das famílias Shadowthorn e Gareth, permitindo uma melhor compreensão dos personagens e sua importância dentro da saga de "A Bruxa de Shadowthorn".

Posfácio

Posfácio

À medida que fecho as páginas de "A Bruxa de Shadowthorn 6" (T.W.O.S), é com um coração pleno de gratidão e reflexão que me dirijo aos leitores que embarcaram nesta jornada mágica.

Esta história, que agora chega ao seu desfecho na primeira temporada da série, foi uma aventura de descobertas e crescimento tanto para mim quanto para os personagens que ganharam vida nestas páginas. Cada palavra escrita foi uma viagem aos recantos mais profundos da imaginação, onde a magia se mistura com as complexidades das relações familiares.

Ao longo desta saga, os Shadowthorns e os Gareth não foram apenas personagens fictícios; tornaram-se companheiros de jornada, amigos que compartilharam suas dores, triunfos e descobertas. Espero que, ao lerem, tenham sentido a mesma conexão e proximidade com esses protagonistas que eu experimentei ao criá-los.

A história, como toda boa magia, é tecida com fios de mistério, desafios e um toque de encantamento. Agradeço a cada leitor por permitir que eu compartilhasse este mundo imaginário, e espero que tenham encontrado em Shadowthorn um refúgio tão especial quanto eu encontrei ao criá-lo.

À equipe da Draft2Digital, cujo trabalho incansável transformou palavras em livro, expresso minha profunda gratidão. Sem o esforço dedicado deles, esta história não teria ganhado vida da mesma forma.

Embora esta temporada chegue ao fim, o universo de Shadowthorn continuará a evoluir, e novos capítulos aguardam para serem desvendados. Vale lembrar que os livros com as temporadas de 1 à 6 já estão disponíveis na D2D Print e nas lojas parceiras da Draft2Digital.

Agradeço por fazerem parte desta jornada mágica, e que as histórias que aqui compartilhamos continuem a ecoar em seus corações, inspirando novas aventuras e reflexões.

Com sincero agradecimento e alegria,

Antonio Carlos Pinto.

Copyright

- A Feiticeira do Espinheiro Sombrio
- T.W.O.S
- E variantes de traduções.

O autor (Antonio Carlos Pinto) declara que os pseudônimos adotados, "The Witch of Shadowthorn (A Bruxa do Espinheiro Sombrio)" ou "T.W.O.S (A Bruxa de Shadowthorn)," goza de salvaguardas legais, conforme o disposto no artigo 19 do Código Civil Brasileiro, equivalente à proteção atribuída ao nome civil, garantindo, assim, o direito de preservação e gestão desse pseudônimo.

Liberdade de expressão artística:

Em conformidade com o inciso IX do artigo 5° da Constituição Federal do Brasil de 1988, a obra desfruta da liberdade de expressão do autor, abrangendo atividades intelectuais, artísticas, científicas e comunicacionais. Dessa forma, a produção narrativa presente nesta obra está isenta de censura.

Aviso sobre coincidências:

Esta narrativa, pertencente ao gênero de ficção científica ou fantasia, isenta-se de qualquer responsabilidade por semelhanças com pessoas ou eventos reais, reiterando que tais coincidências refletem exclusivamente a natureza imaginativa da obra.

O autor agradece pela compreensão e respeito aos direitos autorais, esperando que a experiência de leitura seja tão envolvente para o leitor quanto foi para o escritor.

Dados da obra:
- Autor: Antonio Carlos Pinto
- Data de criação: 08/05/2023
- Nome da obra: A Bruxa de Shadowthorn
- Volume: 1° livro – Remake (T.W.O.S)
- Gênero: Ficção de fantasia
- Classificação etária: 16+.
Assinatura digital do autor:

Este documento foi assinado digitalmente por Antonio Carlos Pinto, de acordo com o artigo 4º da Lei nº 14.063 de 23 de setembro de 2020, que estabelece que a assinatura do autor identifica a autoria da obra intelectual.

A assinatura aplicada configura-se como assinatura simples, prevista no art. 4º, inc. I da citada Lei 14.063/2020, identificando os assinantes e associando dados em formato eletrônico do signatário. O leitor pode verificar a autenticidade e integridade deste documento por meio de serviços governamentais de validação de assinatura eletrônica, conforme previsto em lei.

Aviso de créditos de imagem:

O design original da capa foi criado por Antonio Carlos Pinto, utilizando a tecnologia DALL-E 3 da ferramenta Bing Create Images da Microsoft, seguindo as credenciais de conteúdo baseadas no padrão C2PA (Content Authenticity Protection Alliance).

Quaisquer semelhanças com pessoas reais são coincidências, pois o autor baseou-se na ficção e na fantasia para criar a imagem ou arte através do Bing Create Images.

Licença de uso para o leitor:

Ao adquirir ou acessar a obra "A Bruxa de Shadowthorn (The Witch of Shadowthorn)" ou "T.W.O.S," o leitor concorda com os seguintes termos e condições estabelecidos por Antonio Carlos Pinto, detentor dos direitos autorais desta criação literária:

1. Uso Pessoal: Esta obra destina-se ao uso pessoal do leitor. Qualquer reprodução, distribuição ou utilização comercial sem a autorização expressa do autor é estritamente proibida.

2. Permissão para Citação: É permitido ao leitor citar trechos da obra para fins de crítica, análise ou discussão acadêmica, desde que devidamente creditada a fonte.

3. Sem alterações: Não é permitido ao leitor fazer alterações, modificações ou adaptações nesta obra sem a prévia autorização por escrito do autor.

4. Proibido compartilhamento não autorizado: O leitor concorda em não compartilhar, distribuir ou disponibilizar esta obra de forma não autorizada, seja gratuita ou paga.

5. Solicitação de Autorização: Qualquer solicitação de uso que não seja expressamente permitida por esta licença deverá ser enviada ao autor através do e-mail acpinto@duck.com.

6. Proteção contra Pirataria Digital: O leitor se compromete a não participar ou facilitar a pirataria digital desta obra, estando ciente de que tal prática viola os direitos autorais do autor e está sujeita a medidas legais nos termos do artigo 184 do Decreto Lei nº 2.848 de dezembro de 1940, brasileira, e também a Lei de Direitos Autorais do Milênio Digital dos Estados Unidos da América e a Lei Francesa Hadopi.

Limitação da Licença: Esta licença é válida exclusivamente para quem adquiriu legalmente o e-book em formato digital. Se obtido por outros meios, o leitor não está autorizado a nenhum dos itens desta licença, comprometendo-se, ao aceitar esta licença, a respeitar os direitos autorais do autor. O não cumprimento destes termos pode resultar em ação legal.

Agradecemos pela compreensão e respeito aos direitos autorais, desejando uma experiência de leitura prazerosa!

Com os melhores cumprimentos,

Antonio Carlos Pinto

Autor de "A Bruxa de Shadowthorn".

Sobre o autor

Antonio Carlos Pinto, renomado autor nascido nas majestosas Montanhas Rochosas em Maranguape, Ceará, é um nome que ressoa nos corações dos leitores em busca de narrativas envolventes.

Com uma habilidade inata para contar histórias, Antonio transporta seus leitores para reinos encantados, como evidenciado em obras de ficção científica e fantasias marcantes como "A Bruxa de Shadowthorn", "Maya & Alex e O Sol Mecanizado", "Wastervalley", "O Médium Seráfis e a Quinta Dimensão", "O Revoar dos Pássaros Livros", "A Princesa e o Bobo", "As Cartas de Mariya", "Todos os Amores" e "Realidades Alteradas".

Descendente de uma linhagem nobre e enraizado na cultura da comunidade Pitaguary, Antonio é também ligado à ilustre família Pinto de Portugal. Seu estilo literário distinto, denominado "Neo-Romantismo", conquistou uma legião de fãs, enquanto sua formação em pintura impressionista adiciona uma dimensão única à sua expressão artística.

Apesar de desafios pessoais, incluindo a dolorosa perda de um filho para o câncer e a separação de sua amada esposa, Antonio encontrou na escrita uma forma de transformar a dor em histórias poderosas que ressoam nos corações dos leitores.

Atualmente residindo em um refúgio misterioso no Brasil, Antonio continua a criar obras literárias que capturam a imaginação global. Seu legado na literatura, que inclui obras como "A Bruxa de Shadowthorn (The Witch of Shadowthorn)" e "Maya & Alex e O Sol

Mecanizado", é uma fonte de inspiração para aspirantes a escritores e uma promessa de que suas histórias continuarão a encantar as gerações vindouras.

Prepare-se para ser cativado pela escrita poderosa e pela imaginação sem limites de Antonio Carlos Pinto ao abrir as páginas de seus livros e embarcar em uma jornada inesquecível.

Don't miss out!

Visit the website below and you can sign up to receive emails whenever Antonio Carlos Pinto publishes a new book. There's no charge and no obligation.

https://books2read.com/r/B-A-RODAB-PIFXC

BOOKS 2 READ

Connecting independent readers to independent writers.

Did you love *A Bruxa de Shadowthorn (Twos) Remake*? Then you should read *The Witch of Shadowthorn*[1] by Antonio Carlos Pinto!

[2]

Nightglen, a kingdom intertwined with magic and secrets, is the stage for a new chapter in "The Witch of Shadowthorn 6". Under the cover of a starry night, the narrative unfolds, bringing with it the promise of renewal and, perhaps, the resurgence of old shadows.

Lord Damus, a figure once shrouded in mystery, emerges from the underworld amidst the mists of the past. His return, filled with dark desires, entangles the fates of the Shadowthorn, casting a veil of uncertainty over the horizon.

The pages of this volume 6 take readers into an intricate ballet between forgiveness and revenge, where characters shaped by twilight

---

1. https://books2read.com/u/bOEnGE

2. https://books2read.com/u/bOEnGE

confront choices that echo across the ages. In every shadow, there is a hidden story, a truth waiting to be revealed.

Amid the ancient stones of Nightglen, where secrets echo through the corridors of time, we are invited to explore the intricate web of Elia and the Shadowthorn's relationships, the rebirth of ancient forces and the battle of souls destined to intertwine.

Prepare to dive into the intertwining plots of Antonio Carlos Pinto, where magic and mystery flow like a river, and redemption can be found even in the darkest of places. In "The Witch of Shadowthorn 6", rebirth is imminent, and Nightglen will never be the same...

Also by Antonio Carlos Pinto

A Feiticeira de Shadowthorn
A Feiticeira de Shadowthorn
La Hechicera de Shadowthorn
Die Zauberin des Schattendorns
A Feiticeira de Shadowthorn

An Cailleach de Shadowthorn
An Cailleach de Shadowthorn
An Cailleach de Shadowthorn
An Cailleach de Shadowthorn
An Cailleach de Shadowthorn
An Cailleach de Shadowthorn
An Cailleach de Shadowthorn 6

Az árnyékboszorkány
Az árnyékboszorkány

Čarodějnice ze Shadowthornu

Čarodějnice ze Shadowthornu

De heks van Schaduwdoorn
De heks van Schaduwdoorn

Der Schatten der Zeit
Der Schatten der Zeit

Heksen fra Skyggetorn
Heksen fra Skyggetorn

I Love Mariya Iris
The Letters of Mariya Iris
Die Briefe von Mariya Iris

Império de Truvok
Realidades Alteradas
Altered Realities
Veränderte Realitäten
Realidades Alteradas

La Hechicera de Shadowthorn
La Hechicera de Shadowthorn 2

La hechicera de Shadowthorn 3
La hechicera de Shadowthorn 4
La Hechicera de Shadowthorn 6

La sombra del tiempo
La sombra del tiempo

La sorcière de Shadowthorn
La sorcière de Shadowthorn
La sorcière de Shadowthorn 2
La sorcière de Shadowthorn 3
La sorcière de Shadowthorn - L'origine du mal
La Sorcière de Shadowthorn

La teoría de los viajes en el tiempo
La teoría de los viajes en el tiempo a través de la confluencia de la
relatividad y la astrofísica

Maya & Alex
Maya & Alex And the Mechanized Sun
Maya & Alex und The Mechanized Sun
Maya y Alex y el Sol Mecanizado
Maya & Alex et le soleil mécanisé
Maya & Alex Ja koneistettu aurinko
Maya & Alex og The Mechanized Sun
Maya & Alex Agus an Ghrian Meicnithe

Maya & Alex dhe Dielli i Mekanizuar
Maya & Alex და მექანიზებული მზე
Maya & Alex Dhe dielli i mekanizuar
Maya & Alex och den mekaniserade solen
Maya e Alex e il sole meccanizzato
Maya i Alex oraz Zmechanizowane Słońce0
Maya & Alex και ο Μηχανοποιημένος Ήλιος
Maya & Alex a Mechanizované slnko

Ravinesdale
A Sombra do Tempo

Seraphis
The Medium Seraphis and The Fifth Dimension
Der mittlere Seraphis und die fünfte Dimension

Shadowthornin noita
Shadowthornin noita
Shadowthornin noita 2
Shadowthornin noita 3
Shadowthornin noita 4

Stellar Exodus
Stellar Exodus and the Lost Dimension
Зоряний вихід і загублений вимір

The Princess and the Fool

The Princess and the Fool

The seven kingdoms

Mallacht - The seven kingdoms

The Shadow of Time

The Shadow of Time

The Witch of Shadowthorn

The Witch of Shadowthorn

◇◇◇◇◇◇◇◇◇◇

The Witch of Shadowthorn (Twos) Remake

Die Zauberin des Schattendorns 2

The Witch of Shadowthorn 2

The Witch of Shadowthorn - Heirs of Tomorrow

The Witch of Shadowthorn 4

The Witch of Shadowthorn 5

Die Hexe von Shadowthorn

The Witch of Shadowthorn

Trollkvinnen fra Shadowthorn

Trollkvinnen fra Shadowthorn

Trollkvinnen fra Shadowthorn 2

Trollkvinnen fra Shadowthorn 3
Trollkvinnen fra Shadowthorn 4
Trollkvinnen fra Shadowthorn

T.W.O.S
Η Μάγισσα του Shadowthorn (ΔΥΟ) Ξανακάνω
A Bruxa de Shadowthorn (Twos) Remake

Vještica iz Shadowthorna
Vještica iz Shadowthorna

Wastervale
Wastervale - Floresta Sombria
Wastervale – Der dunkle Wald
Wasttervalle - Bosque oscuro

Wasttervalle
Waster Valley - The Dark Forest

Η Μάγισσα του Shadowthorn
Η Μάγισσα του Shadowthorn

Вещицата от Shadowthorn

Standalone
Maya & Alex: E o Sol Mecanizado
O Médium Seráfis e A Quinta Dimensão
Revoar Dos Pássaros Livres
Flight of Free Birds
Êxodo Estelar e A Dimensão Perdida
Teoria da Viagem no Tempo através da Confluência da Relatividade e
Astrofísica
As Cartas de Mariya Iris
Time Travel Theory through the Confluence of Relativity and
Astrophysics
Le vol des oiseaux libres
Éxodo estelar y la dimensión perdida

About the Author

Antonio Carlos Pinto é um escritor apaixonado pelo ofício de criar histórias de ficção científica e fantasia, romances e poesia. Sua vocação para a escrita surgiu já na infância e se consolidou ao longo dos anos por meio de muito estudo e dedicação à escrita literária brasileira e do mundo.

About the Publisher

Antonio Carlos Pinto, an author whose words transcend borders, touching the hearts of readers around the world.

Born on the banks of a clear river, somewhere in Ceará, Brazil, Antonio Carlos Pinto emerges as an innovative fiction writer in international literature, expanding his talent to countries such as: Germany, Ireland and Ukraine, achieving global renown.

Descendant of the illustrious Pinto family from Portugal, his journey began in 2002, shaping himself through self-taught education in culture, Portuguese, English and Spanish.

Father of two children, Antonio faced tragedy with the loss of one of them to cancer and abandonment by his beloved wife. Immersed in pain and loneliness, his pen fell silent, but in 2023, he reemerged like the phoenix, continuing his legacy of stories, releasing new works from a mysterious refuge in Brazil.

Self-taught, Antonio explored literary styles such as Gothic, Romantic, Modernist and Post-Modernist, giving rise to the innovative

"Neo-Romanticism" and his own style called "Sombroespério". Inspired by figures such as Nora Roberts, W. Somerset Maugham, Stephenie Meyer, Shakespeare, Aristotle, and Plato, he has forged a unique voice, interweaving science fiction, fantasy, romance, and poetry.

Shrouded in mystery, his whereabouts are known only to the writing gods, who illuminated his imagination to create captivating stories and series and thrilling science fiction and fantasy narratives, while dabbling in classic contemporary and medieval romances.

Milton Keynes UK
Ingram Content Group UK Ltd.
UKHW011138010424
440421UK00001B/87